Das große Spiel- und Spaßbuch Englisch

gondolino

Liebe Eltern!

Das Buch
Dieses Buch ist ein Lust- und Spaßmacher: Es soll Lust auf Englisch machen und eine Menge Spaß bringen. Spielerisch erweitern die Kinder ihren Wortschatz, erfahren etwas über Großbritannien und andere englischsprachige Länder. Sie malen, kleben und basteln interessante Dinge und sollen vor allem eines mitnehmen: Englisch lernen macht Spaß und Englisch lernen macht Sinn.

Ihr Kind
Das Buch ist für Grundschüler. Ihr Kind sollte aber schon ein bisschen Englisch können.

Die Inhalte
Es gibt verschiedene Lerninhalte:
Andere Kulturen: Die Kinder erfahren etwas über die Schule in England, über merkwürdige Tiere, lernen bekannte Sehenswürdigkeiten kennen, erfahren eine Menge über fremde Länder, entdecken Lustiges und Überraschendes.
Fertigkeiten: Wie werden Brownies gebacken, wie baue ich ein Musik-instrument oder wie bastle ich eine Krone oder bedrucke ein T-Shirt?
Vokabeln: In jedem Kapitel lernen die Kinder ganz nebenbei Vokabeln und erweitern dadurch ihren Wortschatz. Die Vokabeln werden am Ende des Kapitels spielerisch im Vokabelspiel erneut abgefragt.

Die Macher
Dieses Buch wurde gemeinsam mit Sprachlehrern, Pädagogen und Redakteuren entwickelt.

Die Nutzung
Einige der Seiten können die Kinder völlig alleine bearbeiten, bei anderen Seiten brauchen sie eventuell Hilfe.

Das Wunder
Wundern Sie sich nicht, wenn Sie plötzlich von ihrem Kind auf Englisch angesprochen werden ...

Hallo Kinder!

Lust auf Englisch?

Willst du malen, lesen, lernen, staunen, schreiben, spielen? Willst du wissen, warum Piloten Englisch sprechen? Was Springböcke und Kiwis gemeinsam haben? Warum die Queen Fahnen aufhängt? Willst du wissen, wie man Brownies backt? Kronen baut? T-Shirts bedruckt? Ja? Dann hast du das richtige Buch in der Hand!

Wir wünschen dir viel Spaß beim Lesen, Basteln, Spielen, Staunen und Schreiben!

Dieses Buch gehört:

_____

Inhaltsverzeichnis

Begrüßung und Verabschiedung

Sieh dir die Bilder an und lies dir die Sätze genau durch!
Wenn du verstanden hast was die Leute sagen, dann probiere
das Gelernte aus: gleich morgen Früh ...

Good morning, Max!

Hello, Max!

Good night, Max!

Zu Hause

garden – Garten

window – Fenster

grandfather – Opa

flower – Blume

wardrobe – Schrank

newspaper – Zeitung

pillow – Kissen

sofa – Sofa

grandmother – Oma

carpet – Teppich

armchair – Sessel

child – Kind

mother – Mutter

father – Vater

kitchen – Küche

Auf der linken Seite siehst du Sarahs Familie zu Hause. Merke dir die englischen Wörter und schreibe sie zu den richtigen Bildern auf dieser Seite.

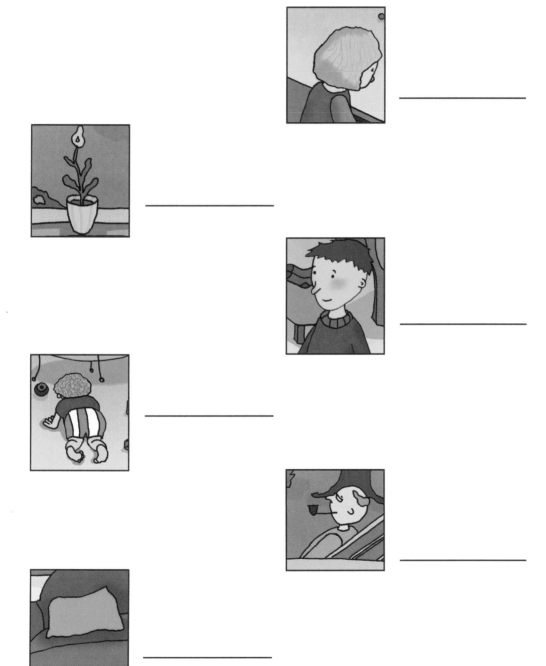

Das bin ich!

Sieh dir die Bilder mehrmals an! Achte dabei auf die Pfeile!
Dann weißt du, wie die einzelnen Körperteile auf Englisch heißen.

Meine Hobbys

Auf dieser Seite siehst du verschiedene Hobbys.
Kreuze an, was du gerne in deiner Freizeit
machst! „Yes" heißt „Ja" und „No" heißt „Nein".

■ Yes ☐ No

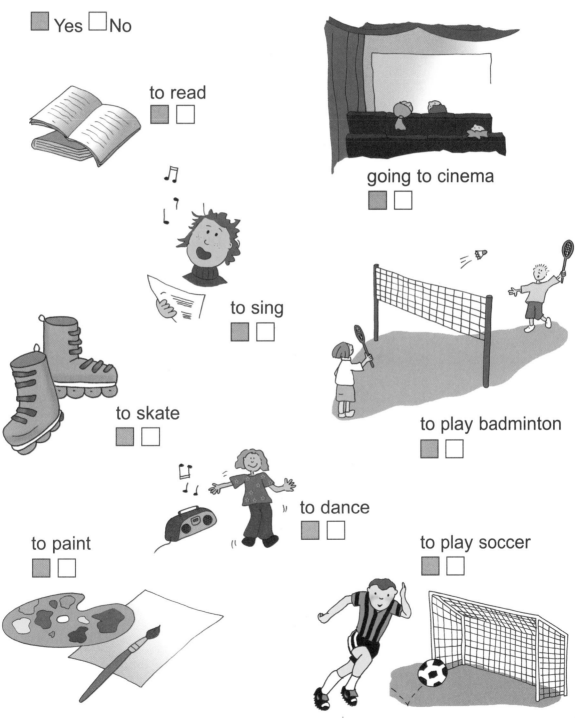

to read
■ ☐

going to cinema
■ ☐

to sing
■ ☐

to skate
■ ☐

to play badminton
■ ☐

to dance
■ ☐

to paint
■ ☐

to play soccer
■ ☐

Die Erde

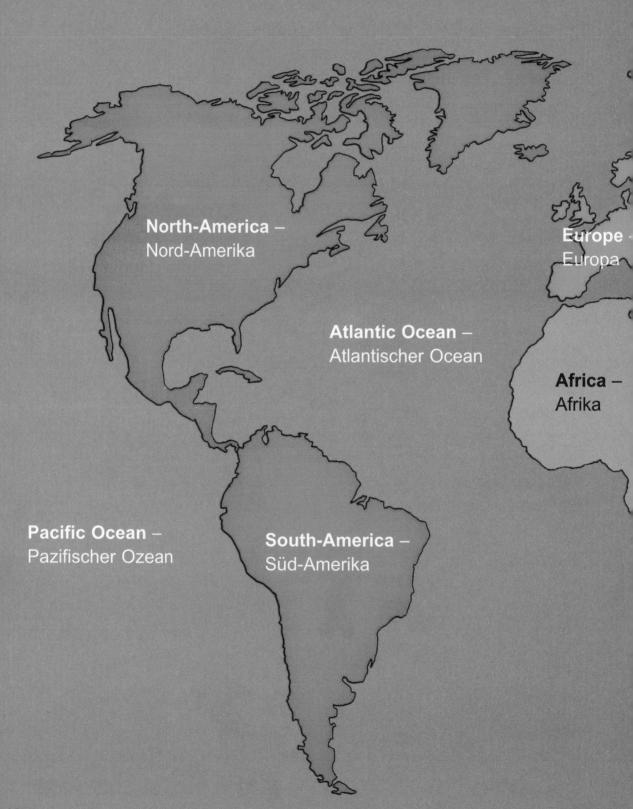

North-America –
Nord-Amerika

Europe –
Europa

Atlantic Ocean –
Atlantischer Ocean

Africa –
Afrika

Pacific Ocean –
Pazifischer Ozean

South-America –
Süd-Amerika

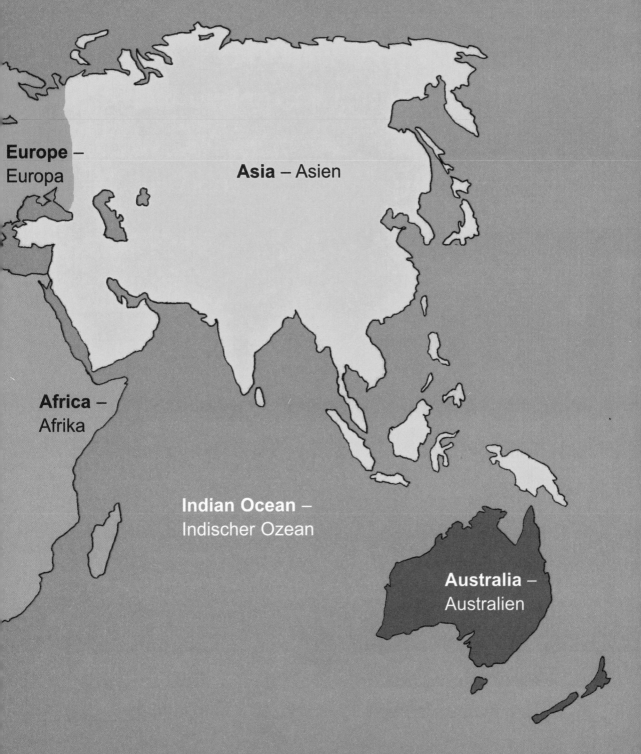

Arctic Ocean – Nordpolarmeer

Europe –
Europa

Asia – Asien

Africa –
Afrika

Indian Ocean –
Indischer Ozean

Australia –
Australien

 I am from Tanzania.

 I am from Canada.

 I am from Greece.

 I am from Australia.

 I am from Switzerland.

 I am from _____.

Wo man Englisch spricht

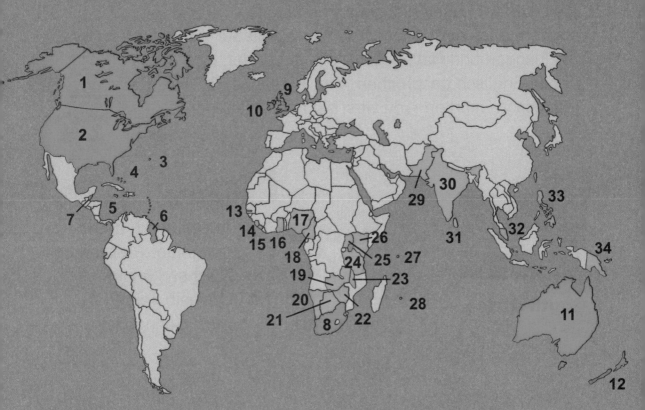

Native language –
Muttersprache:
1. Canada
2. United States of America
3. Bermuda
4. Bahamas
5. Jamaica
6. Guyana
7. Belize
8. South Africa
9. United Kingdom
10. Irish Republic
11. Australia
12. New Zealand

Second language –
Erste Fremdsprache
13. Gambia
14. Sierra Leone
15. Liberia
16. Ghana
17. Nigeria
18. Cameroon
19. Zambia
20. Namibia
21. Botswana
22. Zimbabwe
23. Malawi
24. Tanzania
25. Uganda

26. Kenya
27. Seychelles
28. Mauritius
29. Pakistan
30. India
31. Sri Lanka
32. Malaysia
33. Philippines
34. Papua New Guinea

Nationaltiere

Viele Länder haben nicht nur eine Flagge,
sondern auch ein Nationaltier. Hier siehst du
die Flaggen und Nationaltiere einige Länder, in
denen Englisch gesprochen wird. Versuche, dir die
Flaggen zu merken – du wirst sie noch brauchen ...

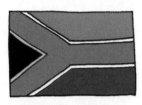

South Africa

Springbock

Springböcke sind eine
Antilopenart, die so
genannte „Prellsprünge"
machen können.
Deshalb heißen sie
auch Springböcke.

Dronte

Dronten sind schon ausge-
storben – die Dronte war voll-
kommen flug- und schwimm-
unfähig. Viele nannten diese
Rasse auch Dodo. Im Jahr
1681 wurde zum letzten Mal
von einem Dodo auf Mauritius
berichtet.

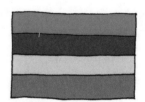

Mauritius

New Zealand

Kiwi

Weil einige Vogelarten
keine natürlichen Feinde
hatten, verlernten sie das
Fliegen. Der bekannteste
Vertreter ist der Kiwi, das
Nationaltier Neuseelands.

Jamaica

Einige Vögel, gibt es ausschließlich in Jamaica.
Der bekannteste ist der Jamaica-Kolibri, auch Doctor Bird genannt:
Er ist Jamaicas Nationaltier.

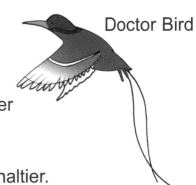

Doctor Bird

Känguruh

Die Riesenkänguruhs, die in den offenen Graslandschaften Australiens leben, können auf der Flucht bis 9 Meter weit springen und über 80 Stundenkilometer laufen.

Australia

United States of America

Seeadler

Der Seeadler ist das Nationaltier der USA. Mit 2,40 m Flügelspannweite ist der Seeadler der größte und mächtigste Greifvogel auf der Erde.

Der Biber kann bis zu 40 kg schwer und fast einen Meter hoch sein, wenn er aufgerichtet sitzt. Er ist das Nationaltier Canadas.

Canada

Biber

Länder-Rätsel

Findest du die Namen der Länder im Wörter-Rätsel wieder? Die Bilder helfen dir dabei. Die Namen tauchen in englisch oder deutsch auf.

Turkey

Spain

Italy

E	L	N	E	S	G	L	I	U	T
S	M	W	D	S	A	P	T	K	H
W	A	A	L	P	H	V	A	W	O
E	C	V	O	A	I	Z	L	A	L
D	T	Z	M	I	K	E	Y	A	L
E	F	R	A	N	C	E	B	U	A
N	U	K	P	H	I	D	Y	A	N
O	N	S	E	N	G	L	A	N	D
T	G	A	R	M	K	P	D	R	A
A	A	A	A	T	U	R	K	E	Y

England

France

Holland

18

Fahnen ausmalen

Hier fehlt doch Farbe! Male die Flaggen in den richtigen Farben aus! Erkennst du sie wieder? Es sind die Fahnen englischsprachiger Länder.

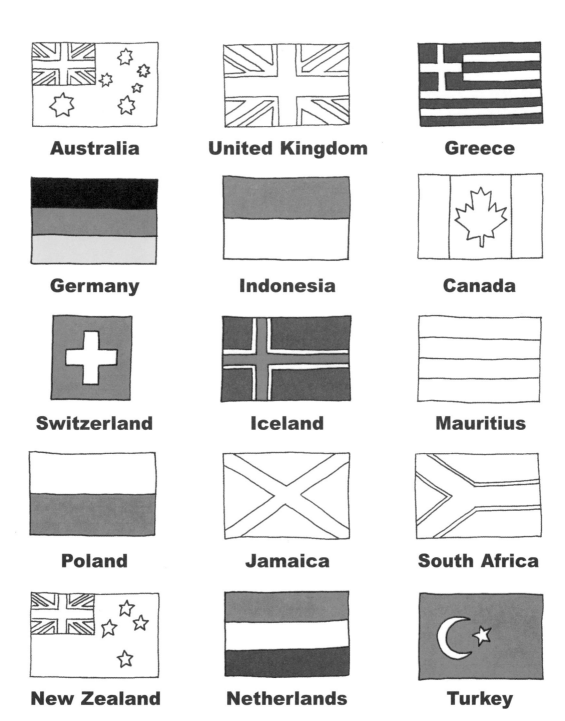

Australia	**United Kingdom**	**Greece**
Germany	**Indonesia**	**Canada**
Switzerland	**Iceland**	**Mauritius**
Poland	**Jamaica**	**South Africa**
New Zealand	**Netherlands**	**Turkey**

to pack the suitcase – den Koffer packen

to fly with the airplane – mit dem Flugzeug fliegen

to travel by train – mit der Bahn reisen

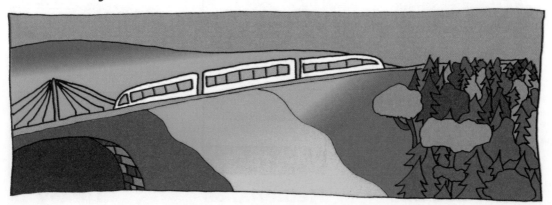

to travel by bus – mit dem Bus reisen

to arrive in the hotel – im Hotel ankommen

to play on the beach – am Strand spielen

Länder zuordnen

Hier siehst du Kinder aus verschiedenen Ländern.
Zeige, welche Flaggen zu ihnen gehören!
Verbinde sie mit Linien!

India

Nigeria

France

United Kingdom

Italy

Vokabelspiel

Du startest bei „Start" und würfelst reihum. Auf dem Feld, auf dem du landest, musst du das deutsche Wort sagen. Kennst du es nicht, gehst du drei Felder zurück. Kommst du auf ein rosa Feld, folgst du dem Pfeil.

Du brauchst: 1 Würfel und Spielfiguren

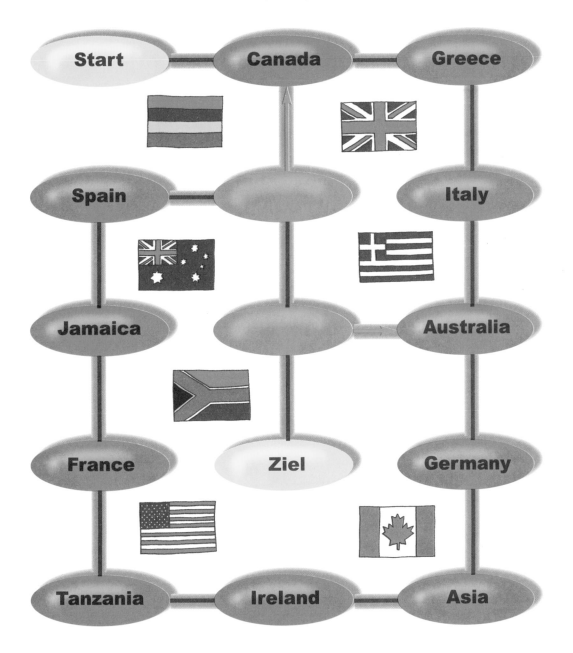

Zahlen von 1 bis 20

Hier siehst du die Zahlen von 1 bis 20. Lies dir die Zahlwörter mehrmals durch und sprich sie laut aus. So kannst du sie dir am besten merken!

1 one
2 two
3 three
4 four
5 five
6 six
7 seven
8 eight
9 nine
10 ten

twelve

fourteen

eleven

thirteen

fifteen

sixteen

seventeen

eighteen

nineteen

twenty

Zahlen von 10 bis 100

Suche die Wege durch das Labyrinth! Dann findest du heraus,
wie die Zahlen auf Englisch heißen.
Male die Wege in unterschiedlichen Farben bunt aus!

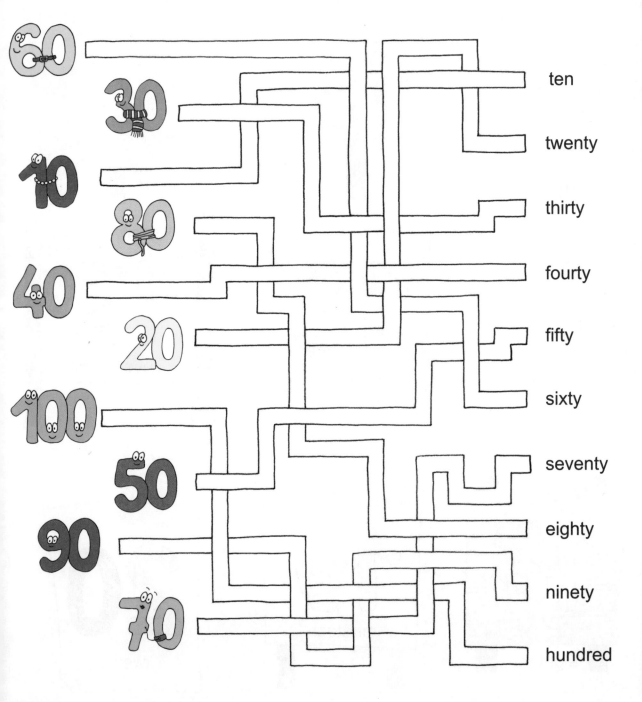

Wächter-Labyrinth

Es ist Wachablösung. Zeige dem Wachmann den richtigen Weg, damit er seinen schlafenden Kollegen ablösen kann. Gehe dabei nur über englische Zahlwörter!
Übersetze sie dabei ins Deutsche!

black

yellow

blue

red

green

pink

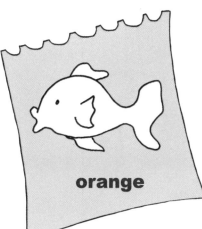

orange

Auf den Zetteln stehen Farben in Englisch. Ein Bild ist schon bunt ausgemalt.

Male die anderen Bilder auch in den richtigen Farben aus!

purple

brown

grey

Kannst du die Malsachen im Bild wiederfinden?
Kreise sie ein und lies die englischen Namen laut vor!

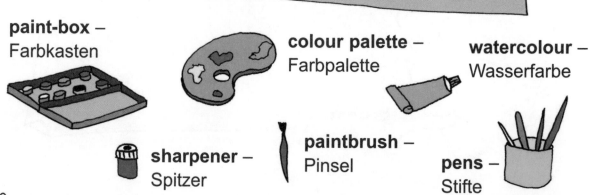

paint-box –
Farbkasten

colour palette –
Farbpalette

watercolour –
Wasserfarbe

sharpener –
Spitzer

paintbrush –
Pinsel

pens –
Stifte

Farben zuordnen

Übersetze die englischen Farbnamen ins Deutsche und schreibe sie auf die gepunkteten Linien! Dann malst du die Kästchen in den richtigen Farben aus.

orange _____

pink _____

yellow _____

grey _____

brown _____

red _____

purple _____

Colour Song

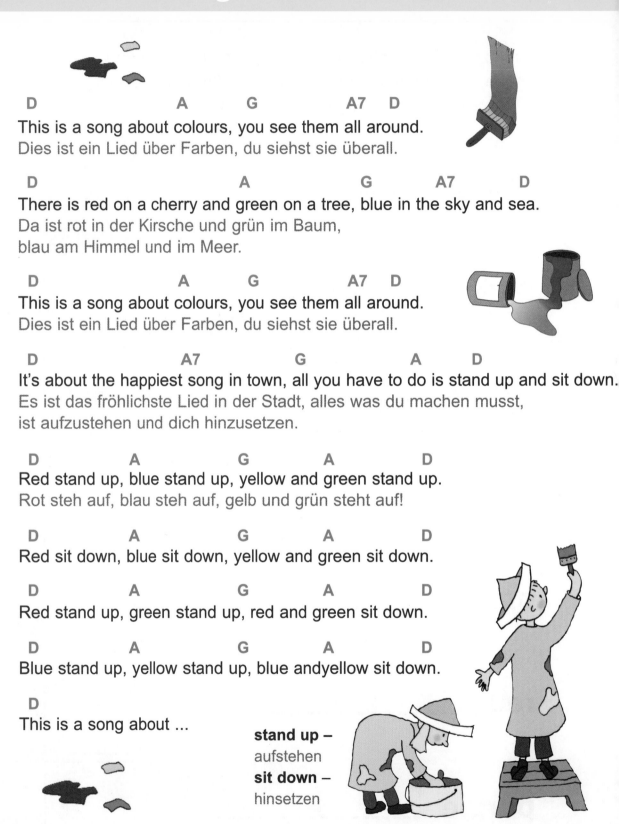

D   A   G   A7 D

This is a song about colours, you see them all around.
Dies ist ein Lied über Farben, du siehst sie überall.

D   A   G   A7   D

There is red on a cherry and green on a tree, blue in the sky and sea.
Da ist rot in der Kirsche und grün im Baum,
blau am Himmel und im Meer.

D   A   G   A7 D

This is a song about colours, you see them all around.
Dies ist ein Lied über Farben, du siehst sie überall.

D   A7   G   A   D

It's about the happiest song in town, all you have to do is stand up and sit down.
Es ist das fröhlichste Lied in der Stadt, alles was du machen musst,
ist aufzustehen und dich hinzusetzen.

D   A   G   A   D

Red stand up, blue stand up, yellow and green stand up.
Rot steh auf, blau steh auf, gelb und grün steht auf!

D   A   G   A   D

Red sit down, blue sit down, yellow and green sit down.

D   A   G   A   D

Red stand up, green stand up, red and green sit down.

D   A   G   A   D

Blue stand up, yellow stand up, blue andyellow sit down.

D

This is a song about ...

stand up –
aufstehen
sit down –
hinsetzen

Malen nach Farben

Male das Bild fertig aus! Die Farbnamen helfen dir dabei.

Zahlwörter verbinden

Verbinde jede Zahl mit dem dazugehörigen Zahlwort!
Dann malst du die Zahlwörter in den richtigen Farben aus!

Vokabelspiel

Du startest bei „Start" und würfelst reihum. Auf dem Feld, auf dem du landest, musst du das deutsche Wort sagen. Kennst du es nicht, gehst du drei Felder zurück. Kommst du auf ein rosa Feld, folgst du dem Pfeil.

Du brauchst: 1 Würfel und Spielfiguren

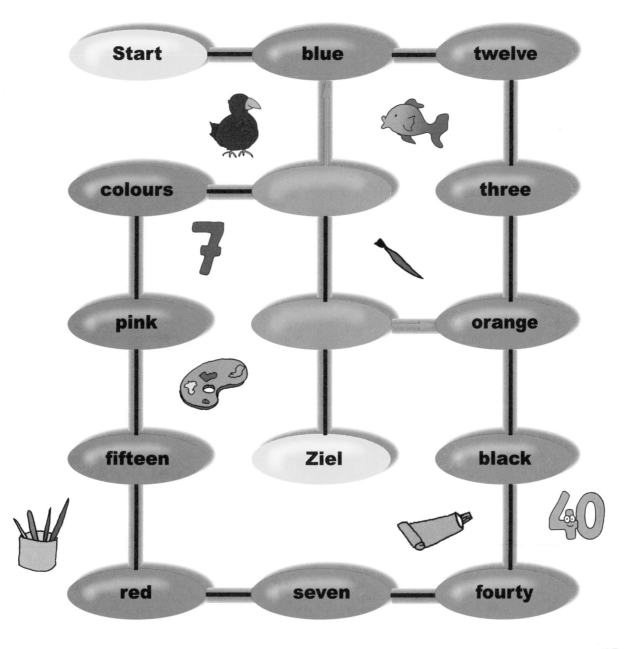

owl

bees

deer

wolf

fox

squirrel

bear

rabbit

Auf dem linken Bild siehst du, wie die Tiere im Wald auf
Englisch heißen. Merke dir ihre englischen Namen!
Auf dieser Seite malst du die Tiere in den richtigen Farben
aus und schreibst die englischen Namen dazu.

Am Wasser

Lies dir die neuen Vokabeln mehrmals durch, so kannst du sie dir am besten merken!

sky – Himmel

boat – Boot

fish – Fische

shark – Hai

reed – Schilf

whale – Wal

sea gull – Möwe

ocean – Meer

beach chair – Strandkorb

beach – Strand

ball – Ball

turtle – Schildkröte

crab – Krebs

shells – Muscheln

Punktbild

Welches Tier hat sich denn da im Schilf versteckt?
Verbinde die Buchstaben in alphabetischer Reihenfolge!
Beim Ausmalen wirst du auch rote Buchstaben finden.
Wenn du diese in der richtigen Reihenfolge in die Kästchen
einträgst weißt du, wie das gesuchte Tier auf Englisch heißt!

Landschaften

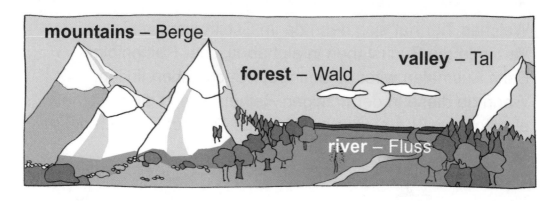

mountains – Berge
forest – Wald
valley – Tal
river – Fluss

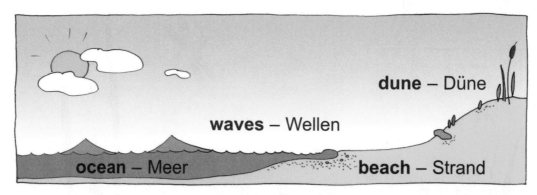

dune – Düne
waves – Wellen
ocean – Meer
beach – Strand

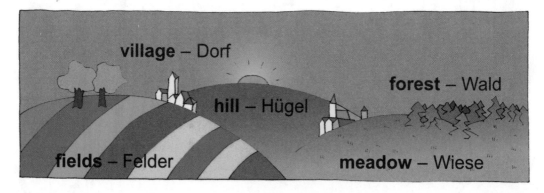

village – Dorf
forest – Wald
hill – Hügel
fields – Felder
meadow – Wiese

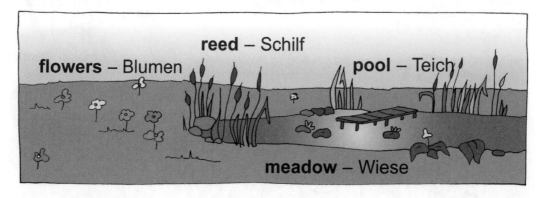

reed – Schilf
flowers – Blumen
pool – Teich
meadow – Wiese

Bei dir zu Hause

Wie sieht es bei dir zu Hause aus? Male die Landschaft, die
für deine Gegend typisch ist! Die Bilder helfen dir dabei.
Schreibe dann die englischen Bezeichnungen dazu!

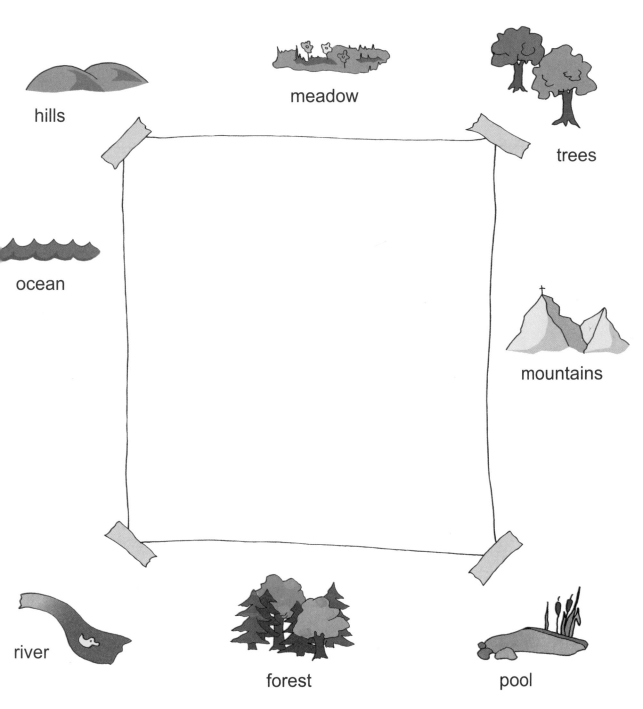

hills

meadow

trees

ocean

mountains

river

forest

pool

Jahreszeiten

spring

fresh – frisch   **green** – grün   **lovely** – wunderschön

summer

hot – heiß   **funny** – spaßig   **sunny** – sonnig

autumn

windy – windig   **rainy** – verregnet   **coloured** – bunt

winter

cold – kalt   **snow-covered** – verschneit   **icy** – vereist

Jahreszeiten-Rätsel

Auf diesen vier Bildern siehst du den gleichen Baum zu unterschiedlichen Jahreszeiten. Kannst du die vier Jahreszeiten zuordnen? Schreibe die englischen Namen zu den Bildern!

Kalendertage

Monday
Montag

Tuesday
Dienstag

Wednesday
Mittwoch

Thursday
Donnerstag

Friday
Freitag

Saturday
Samstag

Sunday
Sonntag

Hier siehst du, wie die Wochentage auf
Englisch heißen.
Lies sie laut vor und merke sie dir!

Wetter

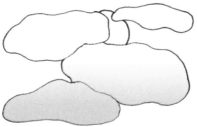

clouds

Hier siehst du,
wie das Wetter ist.
Merke dir die englischen
Wörter gut, denn du wirst
sie gleich brauchen!

wind

rain

sun

snow

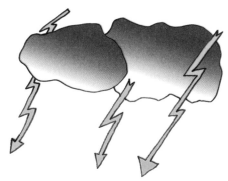

lightning

Wettertabelle

Schaue jeden Morgen aus dem Fenster und trage die Temperatur und das Wetter in die Wettertabelle ein. Dazu schreibst du die englischen Bezeichnungen auf!

rainbow

	°C	
Monday		
Tuesday		
Wednesday		
Thursday		
Friday		
Saturday		
Sunday		

January

February

March

April

May

June

July

August

September

October

November

December

Der Kalender

Bastle einen Kalender: Zeichne mit dem Zirkel einen großen Kreis auf ein Blatt Papier. Dann teilst du diesen Kreis in zwölf gleiche Teile. Schreibe die Jahreszeiten auf Englisch in die Felder und male sie passend aus!

pencil – Bleistift

compasses – Zirkel

scissors – Schere

metal clip – Metallklammer

arrow – Pfeil

Mit Hilfe eines Pfeils kannst du den aktuellen Monat einstellen.
Befestige den Pfeil einfach in der Mitte der Scheibe mit einer Metallklammer. So kannst du ihn leicht drehen.

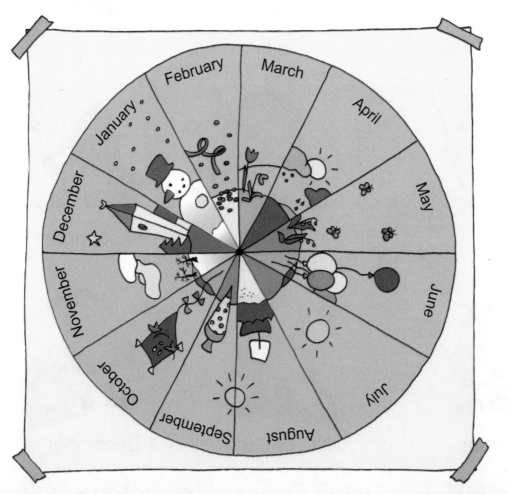

Vokabelspiel

Du startest bei „Start" und würfelst reihum. Auf dem Feld, auf dem du landest, musst du das deutsche Wort sagen. Kennst du es nicht, gehst du drei Felder zurück. Kommst du auf ein rosa Feld, folgst du dem Pfeil.

Du brauchst: 1 Würfel und Spielfiguren

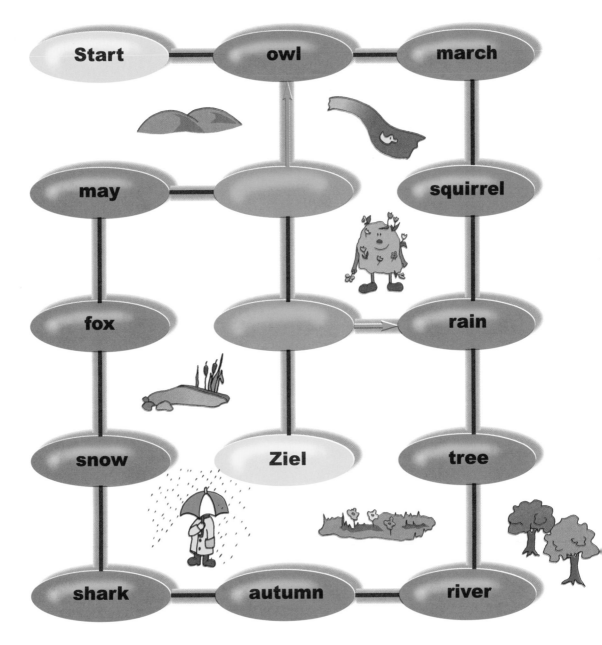

Auf dem Schulhof

to talk – reden

break – Pause

school bag – Schultasche

teacher – Lehrer

soccer – Fußball

to play – spielen

pupil – Schüler

schoolyard – Schulhof

Uhrzeiten

Verbinde jede Uhr mit der passenden Uhrzeit!
Auf der großen Uhr siehst du, wie die Uhrzeiten richtig gebildet werden.

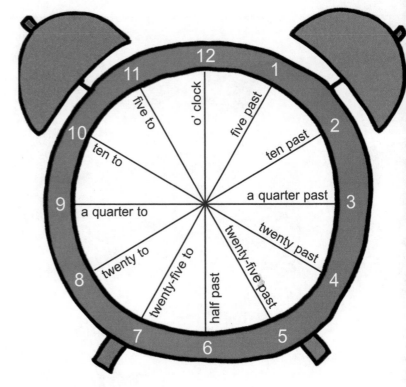

It's three o' clock.

It's twenty past six.

It's twenty to one.

It's a quarter past five.

It's half past eleven.

It's ten to ten.

It's a quarter to seven.

It's twenty-five to twelve.

Was macht Mike den ganzen Tag? Bringe die Bilder in die richtige Reihenfolge und schreibe die Zahlen von 1 bis 6 in die leeren Kästchen!

lessons – Unterricht

get up – Aufstehen

breakfast – Frühstück

to play soccer – Fußball spielen

end of school – Schulschluss

to sleep – schlafen

Dein englischer Stundenplan

Hier siehst du einen leeren Stundenplan. Die Unterrichtsfächer sind mit englischem Namen am Rand abgebildet.
Wie sieht dein Stundenplan aus?
Auf Englisch natürlich!

traffic instruction

Diktat...
A B C

german

work instruction

religion

my timetable	Monday	Tuesday	Wednesday	Thursday	Friday
lesson 1					
lesson 2					
lesson 3					
lesson 4					
lesson 5					
lesson 6					
lesson 7					

geography

Hello, my name is

english

sport

mathematics

7 : 3
1 2 4 - 3 =

art

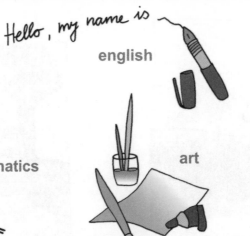

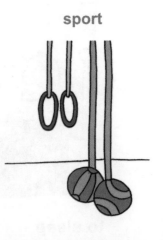

Schul-Labyrinth

Wie kommt der Lehrer zurück in sein Klassenzimmer?
Zeige ihm den richtigen Weg! Tipp: Der Weg führt über die
Schulsachen. Lies ihre englischen Namen laut vor!

schoolbag

blackboard

cat

pencil case

books

fountain-pen

television

pen

phone

exercise-book

paintbrush

chalk

radio

ruler

washing-machine

breakfast

Im Klassenzimmer

Vergleiche die beiden Bilder miteinander!
Findest du die sechs Fehler im rechten Bild?
Kreise sie mit einem roten Stift ein!

Schulabzeichen

Jede Schule in England hat ein eigenes Abzeichen, das von Generation zu Generation weitergegeben wird. Jetzt kannst du für deine Schule oder deine Klasse ein eigenes Schulabzeichen gestalten: mit Kartoffeldruck!

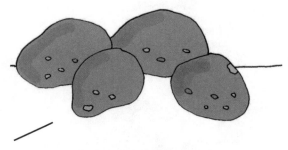

potatoes

Schneide eine große Kartoffel in zwei Hälften. Aus der einen Hälfte schnitzt du vorsichtig eine Grundform, die andere Hälfte und die übrigen Kartoffeln verwendest du für weitere, kleinere Formen.
Dann nimmst du die Grundform und malst sie mit einem Pinsel und Textilmalfarben an.

knife

Nun drückst du die eine
Kartoffelhälfte kräftig auf ein
T-Shirt. Die Grundform ist fertig.
Mit anderen Farben druckst du jetzt
die restlichen Formen darüber.

colour

school badges

brush

T-shirt

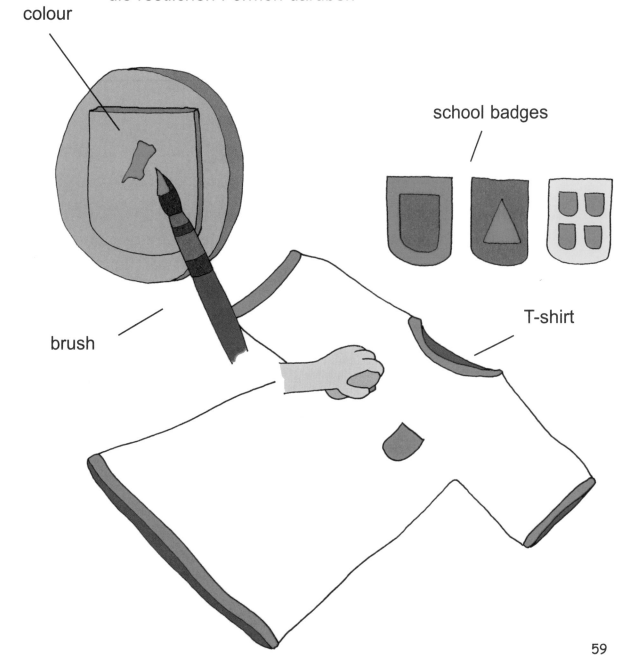

Schuluniform

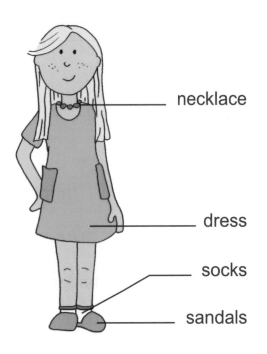

necklace

dress

socks

sandals

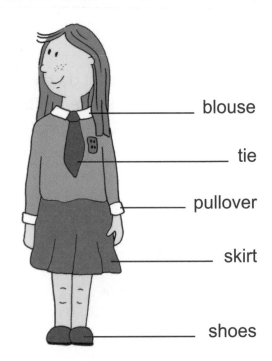

blouse

tie

pullover

skirt

shoes

Alle Schüler in England tragen Schuluniformen.
Auf den Bildern siehst du zwei Schulkinder in Uniformen und
in ihrer Lieblingskleidung. Lies die Vokabeln laut vor, damit
du sie dir besser merken kannst!

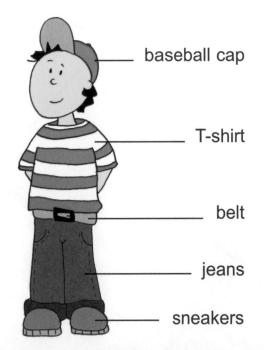

baseball cap

T-shirt

belt

jeans

sneakers

shirt

tie

trousers

shoes

Vokabelspiel

Du startest bei „Start" und würfelst reihum. Auf dem Feld, auf dem du landest, musst du das deutsche Wort sagen. Kennst du es nicht, gehst du drei Felder zurück. Kommst du auf ein rosa Feld, folgst du dem Pfeil.

Du brauchst: 1 Würfel und Spielfiguren

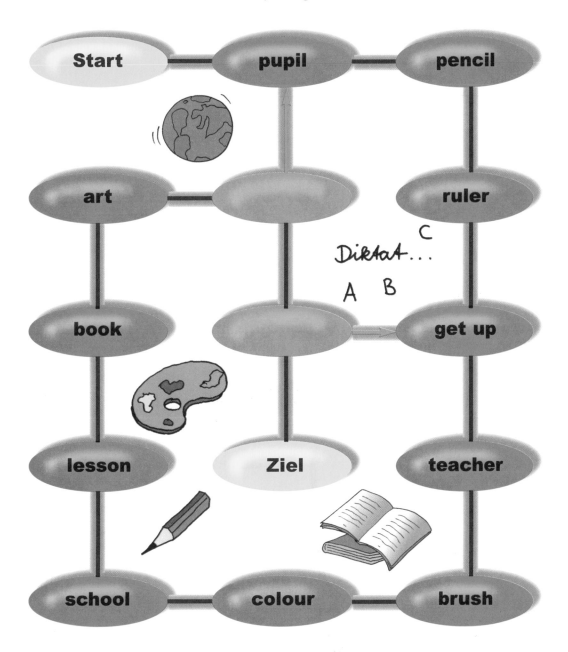

Rührkuchen backen

Gib alle Zutaten nacheinander in eine Rührschüssel und vermenge sie gut. Dann gibst du den Teig in eine gefettete und mit
Semmelbröseln ausgestreute Kuchenform.

Rezept

3 Tassen Mehl
2 Tassen Zucker
1 Tasse Öl
1 Tasse Wasser
3 Eier
1 Päckchen Backpulver

Im vorgeheizten Backofen
bäckst du den Rührkuchen
bei 180 Grad Celsius
35 Minuten lang.

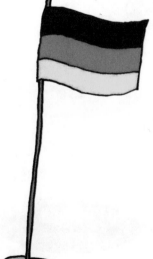

Brownies backen

Gib alle Zutaten nacheinander in eine
Rührschüssel und vermenge sie gut.
Den Schokoladenteig gibst du in ein tiefes
mit Backpapier ausgelegtes Backblech.

Im 150 Grad Celsius vorgeheizten Backofen lässt du den Teig
30 Minuten lang backen. Die gebackene Schokoladenplatte
muss dann auf dem Blech völlig abkühlen, damit du sie in
große Rechtecke oder quadratische Stücke, die „Brownies",
schneiden kannst.

recipe

230g butter (Butter)
120g cocoa (Kakao)
480g sugar (Zucker)
140g flour (Mehl)
1 tsp. baking powder
(Backpulver)
1 tsp. salt (Salz)
4 eggs (Eier)

tsp. – teaspoon

The Muffin Man

The Muffin Man

Do you know the muffin man,
Kennst du den Muffin-Mann,
The muffin man, the muffin man?
Do you know the muffin man,
Who lives down Drury Lane?
Der in der Drury Lane lebt?

Yes, I know the muffin man,
Ja, ich kenne den Muffin-Mann,
The muffin man, the muffin man.
Yes, I know the muffin man,
Who lives down Drury Lane.

We all know the muffin man,
Wir alle kennen den Muffin-Mann,
The muffin man, the muffin man.
We all know the muffin man,
Who lives down Drury Lane.

„The Muffin Man" kannst du als
Sprechgesang vortragen oder
nach der Melodie von „Es ist ein
Mann in den Brunnen gefallen" sin-
gen.

Die Geschichte der Muffins

Muffins gibt es schon sehr lange.
Früher haben die Engländer
„a cup of tea" getrunken und dazu
Gebäck gegessen.
Das beliebteste Gebäck waren
kleine, weiche, saftige Kuchen
aus Hefeteig namens „Muffins".

In der Mitte des 19. Jahrhunderts,
als bereits tausende Engländer
Amerika bevölkerten und natürlich
auch die kleinen Hefekuchen
mitgenommen hatten, wurden
aus den englischen Hefemuffins
amerikanische Rührteigmuffins.

So entstanden die heutigen
Muffins, das amerikanische
Gebäck schlechthin.

Dein Einkaufszettel

Hier siehst du viele Lebensmittel. Stelle deinen eigenen
Einkaufszettel zusammen und schreibe die englischen
Namen der Lebensmittel auf die Einkaufsliste!

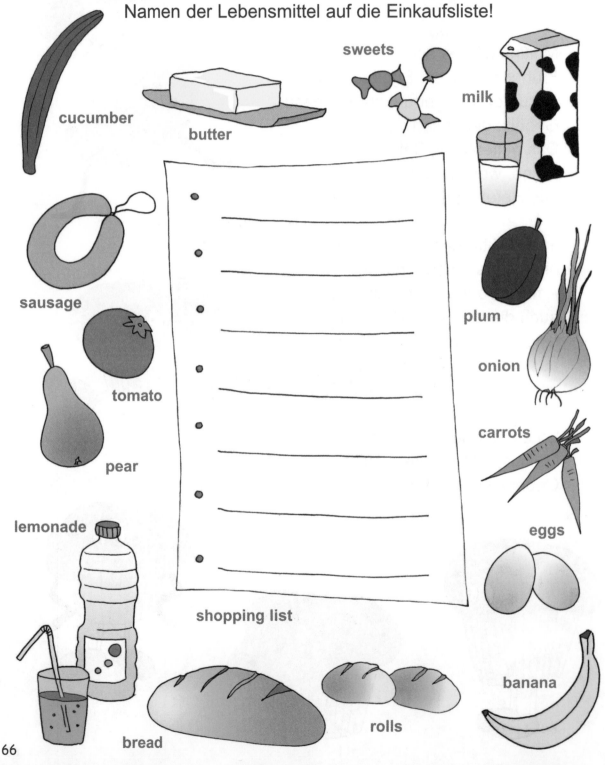

cucumber

butter

sweets

milk

sausage

plum

tomato

onion

pear

carrots

lemonade

eggs

shopping list

banana

bread

rolls

Beim Einkaufen

to get the shopping list –
den Einkaufszettel bekommen

to go to the supermarket –
zum Supermarkt gehen

in the supermarket –
im Supermarkt

a full basket –
ein voller Korb

Can I have an apple?

„Can I have an apple" ist ein englisches Kinderlied. Singe es mit einer Freundin oder einem Freund! Einer von euch ist der Ladenbesitzer, der andere geht einkaufen.

shopkeeper –
Ladenbesitzer

You:	Can I have an apple?
Du:	Darf ich einen Apfel haben?
	Can I have an apple?
	Can I have an apple?
	La la la la la la!

Shopkeeper:	You can have an apple.
Verkäufer:	Du darfst einen Apfel haben.
	You can have an apple.
	You can have an apple.

apple –
Apfel

You:	Thank you very much.
Du:	Vielen Dank.
Shopkeeper:	Here you are! Here you are!
Verkäufer:	Hier, bitte schön! Hier, bitte schön!

You:	Can I have an orange, please? ...
Du:	Darf ich bitte eine Orange haben? ...
Shopkeeper:	You can have an orange ...
Verkäufer:	Du darfst eine Orange haben.

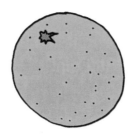

orange –
Orange

You: Can I have a lollipop? ...
Du: Darf ich einen Lutscher haben? ...
Shopkeeper: You can have a lollipop …
Verkäufer: Du darfst gerne einen Lutscher haben.

You: Can I have an icecream, please? ...
Du: Darf ich bitte ein Eis haben?
Shopkeeper: You can have an ice-cream …
Verkäufer: Du darfst ein Eis haben.

You: Thank you very much. Goodbye!
Du: Vielen Dank. Auf Wiedersehen!
Shopkeeper: Goodbye!
Verkäufer: Auf Wiedersehen!

icecream –
Eis

you –
du

lollipop –
Lutscher/Lolli

Obst-Rätsel

Findest du die englischen Namen der Obstsorten im Buchstabengitter wieder? Kreise die Wörter mit einem farbigen Stift ein!

pineapple

kiwi

strawberry

cherries

W	P	A	N	N	G	E	F	A	Y
A	N	S	K	O	E	K	X	S	R
S	H	E	S	M	D	M	U	V	R
V	P	I	N	E	A	P	P	L	E
T	C	R	H	L	G	A	G	O	B
O	M	R	I	M	O	B	R	A	W
L	E	E	B	X	A	J	A	I	A
D	L	H	U	P	Y	T	P	O	R
F	O	C	Z	O	P	D	E	S	T
G	N	U	K	I	W	I	S	T	S

melon

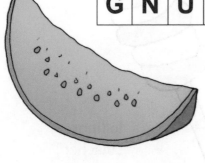

lemon

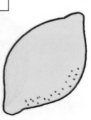

grapes

Vokabelspiel

Du startest bei „Start" und würfelst reihum. Auf dem Feld, auf dem du landest, musst du das deutsche Wort sagen. Kennst du es nicht, gehst du drei Felder zurück. Kommst du auf ein rosa Feld, folgst du dem Pfeil.

Du brauchst: 1 Würfel und Spielfiguren

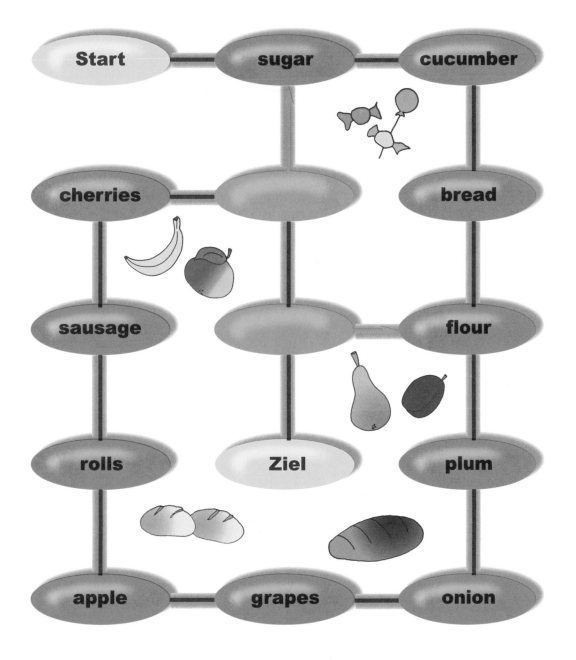

Flugbegleiterin und Pilot

Fasten your seatbelt! –
Bitte anschallen!

airplane – Flugzeug

stewardess –
Flugbegleiterin

pilot – Pilot

window –
Fenster

seats –
Sitze

tray –
Tablett

Die Stewardess muss, wie der Pilot auch, Englisch
sprechen. Während der Pilot fliegt, kümmert sie
sich um die Passagiere.

Computerfachmann

computer – Computer

Computerfachleute müssen
alle Englisch sprechen, denn
viele Informationen und
Anleitungen gibt es nur
auf Englisch.

computer specialist –
Computerfachmann

desk – Schreibtisch

chair – Stuhl

Computer-Rätsel

Male das Bild in den richtigen Farben aus und du erkennst auf dem Bildschirm das englische Wort für „Störung"!

Auslandskorrespondent

Auslandskorrespondenten sind Reporter,
die für uns aus anderen Ländern berichten.
Durch sie erfahren wir, was in der Welt
passiert ist.

Ein Auslandskorrespondent muss
mehrere Sprachen sprechen –
Englisch muss jeder von
ihnen können, denn diese
Sprache wird in vielen
Ländern verstanden.

correspondent –
Auslandskorrespondent

microphone –
Mikrofon

The correspondent reports from all over the world –
Der Auslandskorrespondent berichtet aus aller Welt.

Dosentelefon

Möchtest du auch einmal Auslandskorrespondent spielen und berichten was passiert? Telefonieren von Raum zu Raum oder vom Garten ins Haus ist mit dem Dosentelefon gar nicht schwer …

nail

hammer

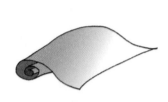

paper

tin

Du brauchst: 2 leere Blechdosen ohne scharfe Kanten, stabilen Bindfaden, einen langen Nagel, einen Hammer, Schere, Klebstoff und Buntstifte.

pencils

cord

Stelle beide Dosen mit den Öffnungen nach unten auf den Tisch. Schlage vorsichtig mit dem langen Nagel je ein Loch in den Dosenboden.

Schneide ein langes Stück Bindfaden (ein paar Meter) ab und verknote je ein Ende des Fadens mit einer Dose. Beklebe die Dosen mit bunt angemaltem Papier. Das Dosentelefon ist fertig!

Achte beim telefonieren darauf, dass der Faden immer gut gespannt ist.

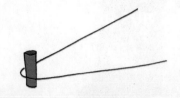

The interpreter translates one language into another. –
Der Dolmetscher übersetzt von einer Sprache in eine andere.

interpreter – Dolmetscher

Language: German / Sprache: Deutsch

Language: English / Sprache: Englisch

Modell

Auch Modells müssen Englisch sprechen, denn sie reisen oft um die ganze Welt und arbeiten mit verschiedenen Teams zusammen. Diese Teams bestehen aus Regisseuren, Fotografen, Kameraleuten, Beleuchtern und vielen anderen. In den Teams arbeiten Menschen aus verschiedenen Nationen – damit sich alle verständigen können sprechen sie Englisch.

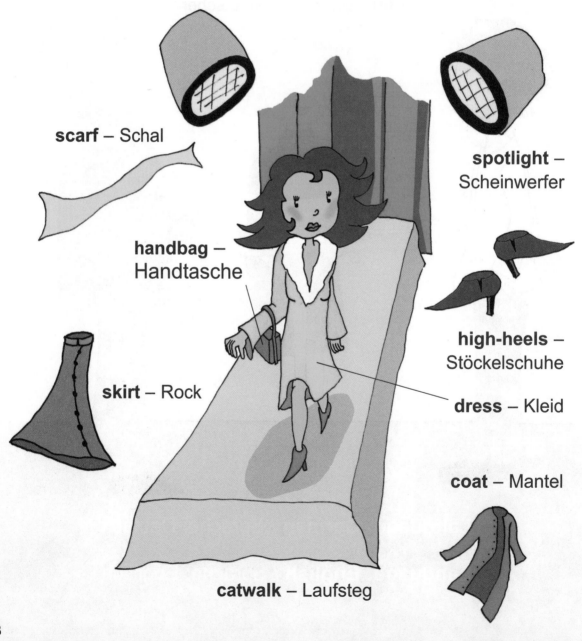

scarf – Schal

spotlight – Scheinwerfer

handbag – Handtasche

high-heels – Stöckelschuhe

skirt – Rock

dress – Kleid

coat – Mantel

catwalk – Laufsteg

Raumfahrer

Wer Astronaut werden will, muss auf jeden Fall Englisch können, um sich mit den anderen Astronauten und den Wissenschaftlern in der Bodenstation zu verständigen.

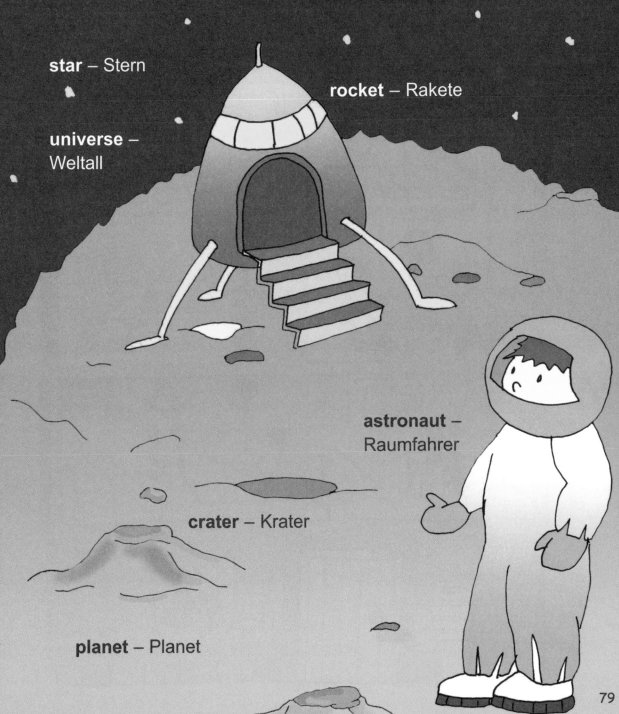

earth – Erde

star – Stern

rocket – Rakete

universe – Weltall

astronaut – Raumfahrer

crater – Krater

planet – Planet

Das Haus der Berufe

In diesem Kapitel wurden einige Berufe vorgestellt, in denen
Englisch gesprochen wird. Findest du sie in diesem Bild wieder?
Male das Bild fertig aus!

Hier siehst du noch mehr Berufe. Englisch ist hier nicht unbedingt Pflicht.

WEST BRIDG

busdriver – Busfahrer

gardener – Gärtner

policeman – Polizist

fireman – Feuerwehrmann

81

Berufe-Rätsel

Trage die englischen Berufsbezeichnungen in der richtigen Reihenfolge in die Kästchen ein! Hast du alle Berufe richtig eingetragen, dann weißt du, wie das Wort „Lehrer" auf Englisch heißt.

Übrigens: Wusstest du, dass ein Pilot auch in England Pilot heißt? Es wird nur anders ausgesprochen.

WEST BRIDG

Vokabelspiel

Du startest bei „Start" und würfelst reihum. Auf dem Feld, auf dem du landest, musst du das deutsche Wort sagen. Kennst du es nicht, gehst du drei Felder zurück. Kommst du auf ein rosa Feld, folgst du dem Pfeil.

Du brauchst: 1 Würfel und Spielfiguren

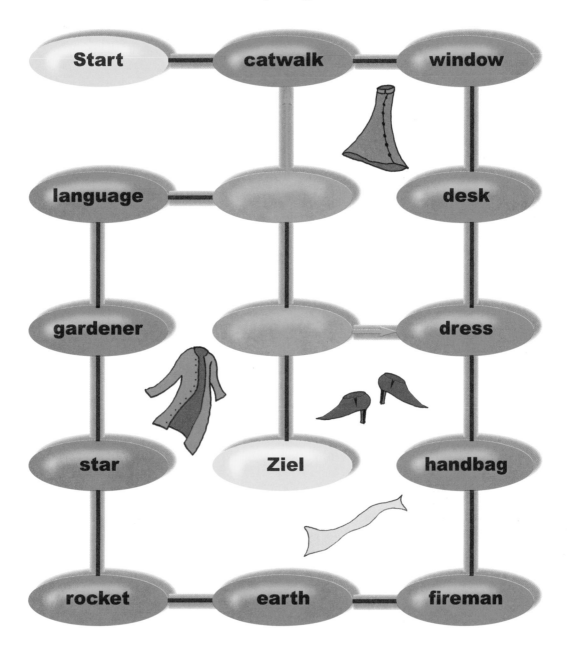

Im Zoo

camel –
Kamel

hippo –
Nilpferd

flamingo – Flamingo

penguin –
Pinguin

ostrich –
Strauß

monkey – Affe

Tier-Rätsel

Sieh dir die Bilder an und lies dir die Fragen gut durch. Kennst du Wörter nicht, schlage sie in der Vokabelliste nach. Verbinde anschließend die Fragen mit den richtigen Tieren!

snake

lion

bee

duck

Which **L** is a king?

Which **D** swims?

Which **M** likes bananas?

Which **S** has eight legs?

Which **R** eats carrots?

Which **S** doesn't have legs?

Which **B** makes honey?

Which **E** has big ears?

monkey

rabbit

spider

elephant

Auf der Farm

Findest du die Tiere und Gegenstände im Bild wieder?
Sage ihre Namen laut, wenn du sie im Bild entdeckst!

 sheep

ton

 dungfork

 flower

 cat

chicken  rooster

farmer

pigeon

dog

Tier-Rätsel

Kennst du die englischen Namen dieser neun Tiere?
Schreibe sie in das Kreuzwortgitter. Das Lösungswort verrät dir,
wie das zehnte Tier heißt.

mouse

hedgehog

fish

frog

fly

tortoise

?

donkey

cat

bear

pigeon

rooster

budgie

chicken

tortoise

rabbit

horse

cat

pig

cow

dog

fish

Wie die Tiere sprechen

Die Katze macht ....miau.
The cat makes............**meow.**

Die Kuh macht ....muh.
The cow makes ....**moo.**

Der Hahn macht ....kikiriki.
The rooster makes .....**cock-a-doodle-doo.**

Das Küken macht ....piep piep.
The chicken makes ....**cheep-cheep.**

Der Hund macht ....wau-wau.
The dog makes ....**bow-wow.**

Die Taube macht ....gruu-gruu.
The pigeon makes .....**coo-coo.**

Das Schwein macht ... grunz-grunz.
The pig makes ....**oink-oink.**

Der Vogel macht ....piep-piep.
The bird makes ....**tweet-tweet.**

Im Wasser und in der Luft

dragon-fly

butterfly

pelican

duck

turtle

fish

water-lily

jellyfish

seaweed

crab

shell

snails

Erkennst du die Tiere?
Weißt du, wie sie auf
Englisch heißen?
Schreibe die Tiernamen neben die Bilder!
Wenn du nicht weiter-
kommst, kannst du in
dem Buch stöbern:
Dann findest du sicher
alle Lösungen!

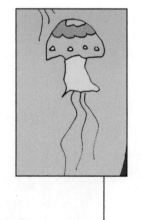

Farmyard Count

Für den „Farmyard Count" brauchst du ein paar Freunde.
Einer von euch liest den Farmer Count vor – alle anderen
machen mit. Jeder stellt ein Tier dar. Wenn du zum Beispiel die
Kuh bist, musst du nach „two for a moo" „moo" (also muh!)
brüllen. Bei „all together now" macht ihr alle gleichzeitig so laut
wie es geht euer Tier nach.

One for a baa	**sheep** – Schaf
Two for a moo	**cow** – Kuh
Three for a flap and a cock-a-doodle-doo	**rooster** – Hahn
Four for an oink	**pig** – Schwein
Five for hee haw	**donkey** – Esel
Six for a squeak and a rustle in the straw	**mouse** – Maus
Seven for a neigh	**horse** – Pferd
Eight for a bark	**dog** – Hund
Nine for a hoot in the barn of the dark	
Ten for a quack	**duck** – Ente
Eleven for a meow	**cat** – Katze
Twelve for the farmyard	
All together now! ...	

Incy Wincy Spider

In England sind kurze Kinderreime sehr beliebt. „Incy Wincy Spider" ist ein Beispiel dafür. Lies die Reime laut vor!

water spout –
Regenrohr

Incy Wincy Spider climbed
up a water spout,
Eine kleine Spinne kletterte eine
Regenrinne hinauf,

down came the rain and
washed the spider out.
Regenwasser kam herunter
und spülte die Spinne hinaus.

Out came the sunshine and
dried up all the rain,
Die Sonne kam raus, trocknete
das Regenwasser

and Incy Wincy Spider
climbed up the spout again.
und die kleine Spinne kletterte
wieder die Regenrinne hinauf.

Vokabelspiel

Du startest bei „Start" und würfelst reihum. Auf dem Feld, auf dem du landest, musst du das deutsche Wort sagen. Kennst du es nicht, gehst du drei Felder zurück. Kommst du auf ein rosa Feld, folgst du dem Pfeil.

Du brauchst: 1 Würfel und Spielfiguren

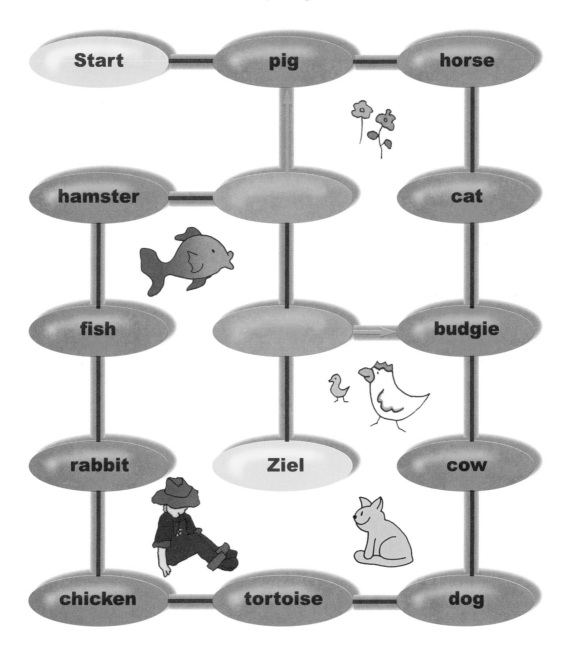

Englische Wörter im Deutschen

Jeden Tag tauchen in unserem Alltag englische Wörter auf.
Hier siehst du einige Beispiele. Dir fallen bestimmt noch mehr
Wörter ein. Schreibe sie einfach auf den leeren Zettel!

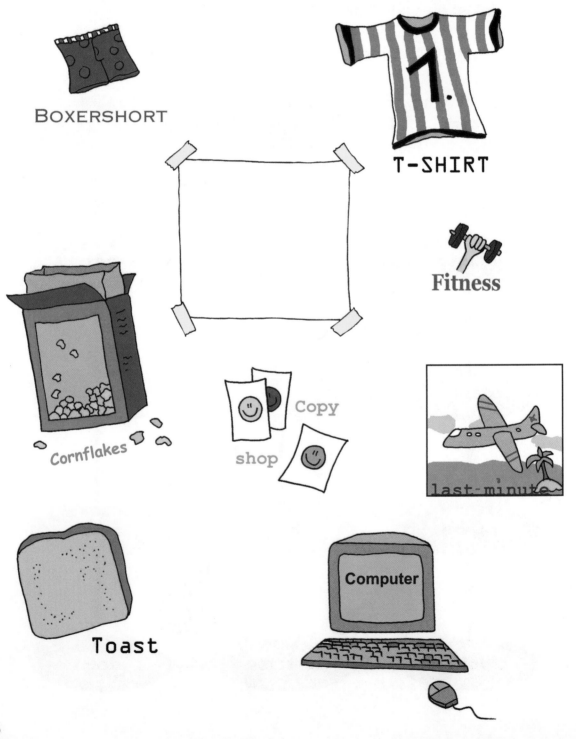

BOXERSHORT

T-SHIRT

Fitness

Cornflakes

Copy
shop

last-minute

Toast

Computer

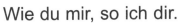

Tit for tat.
Wie du mir, so ich dir.

Fine feathers make fine birds.
Kleider machen Leute.

A shut mouth catches no flies.
Reden ist Silber, Schweigen ist Gold.

You can't teach an old dog new tricks.
Was Hänschen nicht lernt, lernt Hans nimmermehr.

The proof of the pudding is in the eating.
Probieren geht über Studieren.

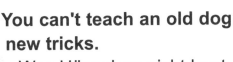

Ready, steady, go!
Das Pendant zu: Auf die Plätze, Fertig, Los!

It's not my cup of tea.
Im Englischen soviel wie:
Es geht mich nichts an,
interressiert mich nicht.

It's raining cats and dogs.
Es schüttet wie aus Eimern.

bus

Nicht nur die Sprachen der Länder sind verschieden.
Viele Dinge sehen auch anders aus. Hier siehst du einige
Unterschiede zwischen
Großbritannien und Deutschland.

left-hand traffic

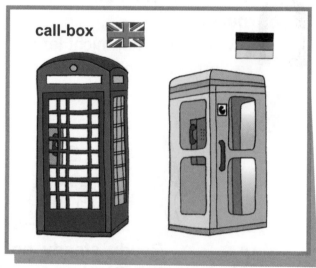

call-box

letter-box

Instrumente

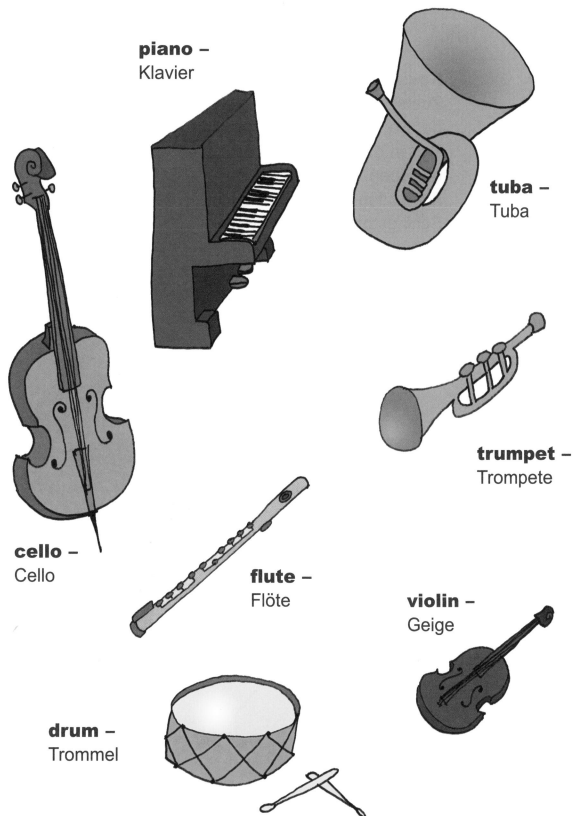

piano –
Klavier

tuba –
Tuba

trumpet –
Trompete

cello –
Cello

flute –
Flöte

violin –
Geige

drum –
Trommel

Instrumente basteln

tin –
Dose

cork –
Korken

Konservenbüchsen-Trommel:
Zuerst entfernst du den Deckel
der Konservendose. Dann
kannst du sie bemalen oder
bekleben. Achte darauf, dass
der Boden frei bleibt. Für die
Schlagstöcke steckst du die
Korken auf die Bleistiftspitzen.
Die Konservendosen-Trommel
ist fertig.

pencils –
Bleistifte

Ast-Rassel:
Suche dir im Wald eine Astgabel! Bohre vier
Löcher hinein. Dann fädelst du die
Knöpfe auf zwei Stricke. Die Enden
steckst du durch die gebohrten
Löcher und knotest sie fest,
fertig.

branch –
Ast

button –
Knöpfe

drill –
Bohrer

saw –
Säge

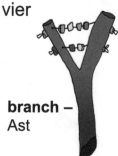

cord –
Strick

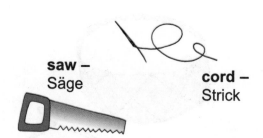

colour –
Farbe

pearls – Perlen

brush –
Pinsel

Blumentopf-Glockenspiel:

Stelle dir Blumentöpfe in verschiedenen
Größen zusammen. Male sie von außen bunt an.
Knote je eine Perle an das Ende eines Stricks.
Nun ziehst du je einen Strick durch das Loch
eines Topfes, sodass die Perle den Topf
hält. Dann hängst du die Blumentöpfe eng
nebeneinander an einem Ast auf und
wartest auf den Wind.

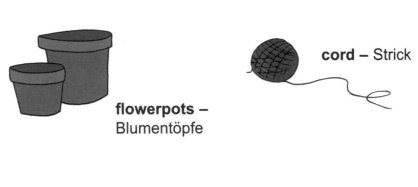

cord – Strick

flowerpots –
Blumentöpfe

Feiertage

Halloween (31. Oktober)

Halloween ist ein Fest, das es schon sehr lange gibt – schon die Kelten haben Halloween gefeiert. Seit ein paar Jahren feiert man auch in Deutschland Halloween. Man kennt das Fest aus amerikanischen Filmen.

„Jack-o'-Lantern"

An Halloween ziehen die Kinder von Haus zu Haus und stellen die Bewohner vor die Wahl: „trick or treat" – „Streich oder Schmaus", was soviel heißt wie: „Bonbons, Schokolade oder Süßigkeiten her – oder wir stellen was an!"

hearts – Herzen

Valentine's Day (14. Februar)

Im Mittelalter wurde der Valentinstag vor allem in Frankreich, Belgien und England gefeiert. Angeblich war der erste Mann, den ein Mädchen am 14. Februar vor dem Haus sah, auch ihr zukünftiger Ehemann. Junge Burschen versuchten da natürlich, dem Glück nachzuhelfen, indem sie mit einem Strauß Blumen vor der Tür der Angebeteten standen.

St. Patrick's Day (17. März)

Der 17. März, St. Patricks Day, wird in Irland anlässlich des Todestages des Nationalheiligen St. Patrick als Feiertag begangen. Ursprünglich im ruhigen Kreise der Familie wird heute kräftig in rischen Kneipen gefeiert, getrunken und gesungen. Wahrzeichen ist das dreiblättrige Kleeblatt. Unter den Kindern ist die Suche nach einem dreiblättrigen Kleeblatt am St. Patrick's Day besonders beliebt. Schließlich soll es einem für das kommende Jahr großes Glück bringen.

clover – Klee

Christmas Evening (24. Dezember)

In England bekommen die Kinder ihre Geschenke nicht am Weihnachtsvorabend, dem 24. Dezember, sondern hängen ihre Strümpfe an den Kamin. Nachts, wenn alles schläft landet Santa Claus mit seinem Rentierschlitten auf den Dächern der Häuser. Er klettert den Kamin hinunter und füllt die Strümpfe mit Geschenken auf. Morgens stehen die Kinder dann früh auf ...

chimney – Kamin

Pet Rap

„Rap" ist ein Sprechgesang. Man spricht einfach Reime zum Rhythmus der Musik. Versuche es doch einmal selbst – mit dem „Pet Rap".

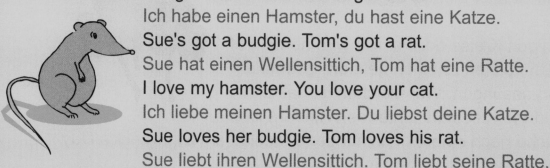

I've got a hamster. You've got a cat.
Ich habe einen Hamster, du hast eine Katze.
Sue's got a budgie. Tom's got a rat.
Sue hat einen Wellensittich, Tom hat eine Ratte.
I love my hamster. You love your cat.
Ich liebe meinen Hamster. Du liebst deine Katze.
Sue loves her budgie. Tom loves his rat.
Sue liebt ihren Wellensittich. Tom liebt seine Ratte.

We love our animals.
Wir lieben unsere Tiere.
We love our pets.
Wir lieben unsere Haustiere.
We love our animals.
We love our pets.

The hamster eats carrots.
Der Hamster isst Karotten.
The cat catches mice.
Die Katze fängt Mäuse.
The budgie drinks water.
Der Wellensittich trinkt Wasser.
The rat likes Tom's rice.
Die Ratte mag Toms Reis.
We love our animals.
Wir lieben unsere Tiere.
We love our pets.
We love our animals.
We love our pets.

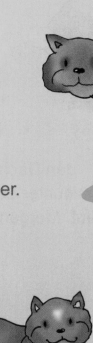

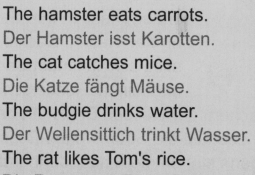

Vokabelspiel

Du startest bei „Start" und würfelst reihum. Auf dem Feld, auf dem du landest, musst du das deutsche Wort sagen. Kennst du es nicht, gehst du drei Felder zurück. Kommst du auf ein rosa Feld, folgst du dem Pfeil.

Du brauchst: 1 Würfel und Spielfiguren

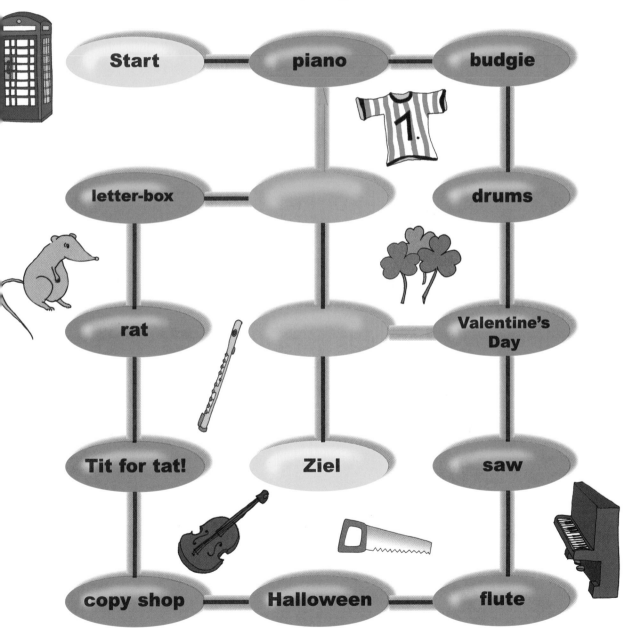

Großbritannien

United Kingdom – Großbritannien

Loch Ness

Scotland

North Sea –
Nordsee

Atlantic Ocean –
Atlantischer Ozean

Glasgow

**Northern
Ireland**

Belfast

Lake
District

Irish Sea –
Irische See

Dublin

**Republic
of Ireland**

Nottingham

England

Wales

London

Geographie: 244.000 km≈
Einwohner: 59 Millionen
Währung: Pfund Sterling

Stonehenge

English Channel –
Der Kanal

France –
Frankreic

London

London
ist die Hauptstadt
und größte Stadt Eng-
lands. Sie ist größer als
Frankfurt, München oder
Hamburg. Die Stadt ist eine
der angesagtesten Städte
der Welt, weil es hier sehr
viele Leute gibt, die neue
Modetrends, Musik- oder
Kunstformen entwickeln.

streets – Straßen

old town – Altstadt

buildings – Gebäude

public buildings –
öffentliche Gebäude

parks – Parks

waters – Gewässer

railway-lines – Bahnlinien

Themse: Mit 338 km ist die Themse der größte und längste Fluss Englands.

Themse

Themse

Themse

city map – Stadtplan

Sehenswürdigkeiten

England ist nicht Großbritannien – England ist nur ein Teil davon. Die Insel besteht aus England, Schottland und Wales. Die drei Länder bilden zusammen mit Nordirland das „Vereinigte Königreich Großbritannien". Auf Englisch sagt man „United Kingdom".

Robin Hood: Der berühmte Sherwood Forest, in dem einst Robin Hood gehaust haben soll, wurde schon im Mittelalter abgeholzt. Witzigerweise gibt es in der Nähe von Nottingham mindestens fünf Wegweiser zu verschiedenen Sherwood Forests, für die alle Eintritt verlangt wird.

Stonehenge: In Stonehenge, hundert Kilometer westlich von London, haben sehr frühe Briten vor rund viertausend Jahren geometrisch exakte Steinkreise angelegt. Die Steine, die bis zu fünfzig Tonnen wiegen, wurden aus zweihundert Kilometern Entfernung hergeholt. Wie die Menschen in der Bronzezeit das geschafft haben, wie sie die Kreise so mathematisch exakt berechnet haben und wozu sie sich überhaupt die Mühe gemacht haben, das fragen sich die Wissenschaftler noch heute.

Lake District: Lake District liegt im Nordwesten von England. Es ist Englands größter Nationalpark. Seinen Namen erhielt er durch die vielen Seen. Bäche rauschen durch die Täler und werden von schönen, geschwungenen, alten Steinbrücken überquert. Hier gibt es einige Berge, darunter auch Englands höchster, der 978 Meter hohe Scafell Pike.

Loch Ness: Glaubst du an Ungeheuer? Eines der berühmtesten Ungeheuer soll angeblich in Schottland leben. Dort gibt es finstere Hochmoore, heidebedeckte Berghänge, tiefe Talschluchten, reißende Bäche und unergründliche Seen.
In deren Tiefen tummeln sich Lachse, Hechte und unter anderem Fischzeug angeblich auch das Ungeheuer von Loch Ness.
Wie es aussieht weiss niemand – aber wie es heißt wissen alle: Nessie. Jedes Jahr gibt es wieder Menschen, die es angeblich gesehen haben. Doch alle beschreiben es anders. Menschen, die nicht an Ungeheuer glauben, behaupten, die Leute hätten einfach nur einen großen Hecht oder einen anderen Fisch gesehen. Aber vielleicht gibt es ja doch das berühmte Ungeheuer von Loch Ness ...

Die feine englische Art

Wie würdest du in den folgenden Situationen reagieren?
Beantworte die Fragen, indem du je ein Kästchen ankreuzt.
Darunter steht wie man in England reagieren würde.

Small-talk – Du möchtest mit jemandem sprechen. Welches Thema wählst du, um die Person anzusprechen?

family – Familie   **weather** – Wetter   **politics** – Politik

Auch wenn es für uns vielleicht langweilig klingt – das Wetter ist Small-talk-Thema Nr.1 in England.

Du bist mit Paul unterschiedlicher Meinung. Wie erklärst du ihm, dass er nicht richtig liegt?

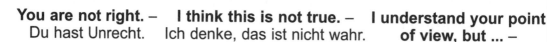

You are not right. –   **I think this is not true. –**   **I understand your point**
Du hast Unrecht.   Ich denke, das ist nicht wahr.   **of view, but ... –**
Ich verstehe deine
Sichtweise, aber ...

Die dritte Antwort ist richtig. Für uns recht seltsam, warum wir jemandem halb Recht geben sollen, obwohl wir ganz anderer Meinung sind.
Doch das ist die „feine englische Art"!

Lena tritt dir auf den Fuß. Wie reagierst du?

Sorry. – Entschuldigung.   **Never mind. –**   **Outch!** – Autsch!
Nicht so schlimm.

Wieder wird Höflichkeit groß geschrieben! Jeder nimmt die Hälfte der Schuld auf sich. Das heißt: auch der Getretene entschuldigt sich dafür, dass sein Fuß im Weg stand.

Die Königin

In Großbritannien gibt es noch ein Königshaus! Die Queen – also die Königin – regiert aber nicht. Sie ist allerdings das Staatsoberhaupt – so ähnlich wie bei uns der

Buckingham Palace – der offizielle Sitz der Queen ist in London. Der Buckingham Palace hat mehr als 500 Räume, inklusive 19 Staatsräumen und 78 Badezimmern! Viele der Räume werden von den Menschen benutzt, die der Queen bei ihrer Arbeit helfen.

Royal flag –
königliche Flagge

Queen – Königin

Flags: Die Königin hat ihre eigene Flagge, die man „standard" nennt. Diese Flagge weht über dem Gebäude, in dem sich die Königin befindet. Ist sie nicht da, so weht stattdessen die britische Flagge, genannt „Union Jack". Wenn du das nächste Mal an einem königlichen Palast vorbeigehst, schaue dir die Flaggen an. Dies ist ein einfacher Weg, um herauszufinden, ob die Königin im Haus ist.

jewels –
Juwelen

Crown Jewels: Dies sind die Krone und die anderen kostbaren Schmuckstücke. Die Königinnen und Könige tragen sie, wenn sie gekrönt werden, das Parlament eröffnen oder andere spezielle Ereignisse anstehen.

crown – Krone

Eine eigene Krone basteln

Nicht nur die Königin trägt ab und zu eine Krone. Bastle dir doch einfach eine eigene. Auf dieser Seite siehst du, wie es gemacht wird – es geht ganz einfach.

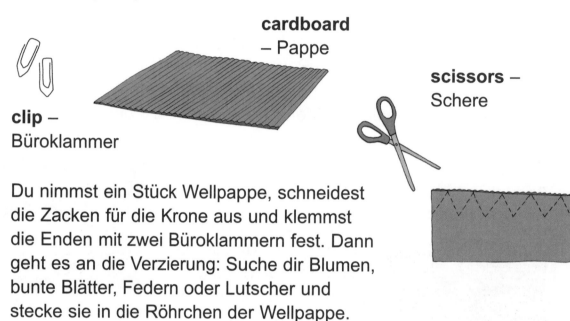

cardboard – Pappe

scissors – Schere

clip – Büroklammer

Du nimmst ein Stück Wellpappe, schneidest die Zacken für die Krone aus und klemmst die Enden mit zwei Büroklammern fest. Dann geht es an die Verzierung: Suche dir Blumen, bunte Blätter, Federn oder Lutscher und stecke sie in die Röhrchen der Wellpappe. Wenn du magst, kannst du die Krone natürlich noch bunt anmalen oder bekleben.

leafs – Blätter

lollipops – Lutscher

flowers – Blumen

crown – Krone

colour – Farbe

Geburtstag

Das bekannte Geburtstagslied „Happy Birthday"
hast du bestimmt schon oft gesungen. Hier siehst
du wie es geschrieben wird. Auf den Strich
schreibst du einfach den Namen, für den du das
nächste Mal das Lied singst!

present – Geschenk

Happy Birthday to you!

Happy Birthday to you!

Happy Birthday, dear _____!

Happy Birthday to you!

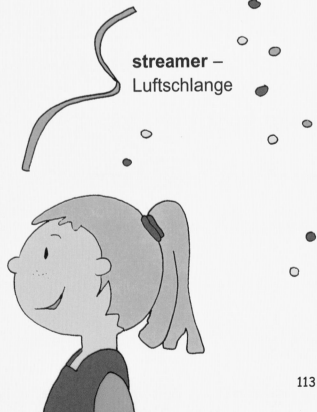

streamer –
Luftschlange

cake –
Kuchen

candles –
Kerzen

The Hokey Pokey

Stelle dich mit ein paar Freunden im Kreis auf!
Singt gemeinsam das Lied und bewegt euch zum Text!
Die Bilder auf der rechten Seite helfen euch dabei.

1. You put your right hand in, your right hand out;
   your right hand in and you shake it all about.
   You do the Hokey-Pokey and you turn around.
   That's what it's all about!

   Refrain:

   Oh, Hokey Pokey Pokey,
   Oh, Hokey Pokey Pokey,
   Oh, Hokey Pokey Pokey,
   And that's what it's all about.

2. You put your left hand in, your left hand out;
   your left hand in and you shake it all about.
   You do the Hokey-Pokey and you turn around.
   That's what it's all about!

   Refrain

3. You put your right foot in, your right foot out ...

   Refrain

4. You put your left foot in, your left foot out ...

   Refrain

5. You put your whole self in, your whole self out ...

   Refrain

you put your right hand in – streckt eure rechte Hand nach vorne /
left hand out – die linke Hand nach hinten / **shake it all about** –
schüttelt sie fest aus / **turn around** – macht eine Drehung /
that's what it's all about – so wird's gemacht / **put your whole self in** –
macht einen Schritt vorwärts / **whole self out** – einen Schritt rückwärts

Right hand in ...

Right hand out ...

Right hand in ...

Oh hokey ...

Shake it all about ...

Oh hokey ...

That's what
it's all about ...

Turn around ...

115

Guten Appetit!

Lunch – Mittagessen

Tea time – Kaffee trinken

Dinner – Abendessen

My little House
Mein kleines Haus

My little house won't stand up straight.
Mein kleines Haus will nicht gerade stehen.

My little house has lost its gate.
Mein kleines Haus hat das Tor verloren.

My little house bends up and down.
Mein kleines Haus biegt sich hin und her.

My little house is the
oldest one in town.
Mein kleines Haus ist das
älteste der Stadt.

Here comes the wind.
Hier kommt der Wind.

It blows and blows again.
Er bläst wieder und wieder.

Down falls my little house.
Mein kleines Haus fällt zusammen.

Oh, what a shame!
Oh, was für eine Schande!

Eine Postkarte schreiben

Schreibe deiner Familie oder deinen Freunden eine Postkarte.
Auf dieser Seite findest du einige Sätze und neue Vokabeln,
die dir dabei helfen.

to write postcards

See you soon.
Bis bald.

stamp

Greetings from England.
Viele Urlaubsgrüße aus England.

Hello Peter!
Hallo Peter!

tent

backpack

camera

We already saw many beautiful cities.
Wir haben schon viele schöne Städte gesehen.

Many greetings.
Viele Grüße.

sunshade

The weather is fine.
Das Wetter ist schön.

We go to the beach for swimming every day.
Wir gehen jeden Tag zum Baden an den Strand.

ocean

to dive

Deine Anja
Yours, Anja

beach

Vokabelspiel

Du startest bei „Start" und würfelst reihum. Auf dem Feld, auf dem du landest, musst du das deutsche Wort sagen. Kennst du es nicht, gehst du drei Felder zurück. Kommst du auf ein rosa Feld, folgst du dem Pfeil.

Du brauchst: 1 Würfel und Spielfiguren

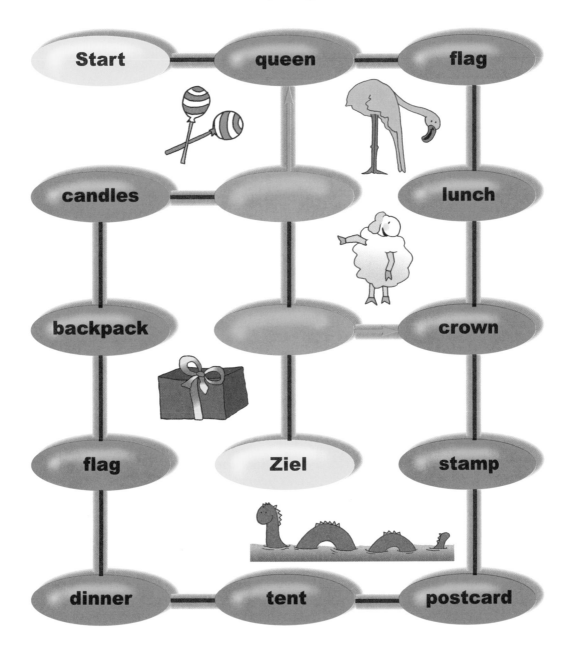

Vokabeln

English	Pronunciation	German	English	Pronunciation	German
a full basket	ä full baskit	ein voller Korb	**budgie**	badschi	Wellensittich
a quarter to	ä kworter to	viertel vor	**buildings**	bildings	Gebäude
a quarter past	ä kworter past	viertel nach	**bus driver**	baßdreiwer	Busfahrer
Africa	äfrika	Afrika	**butter**	batter	Butter
airplane	ärpläin	Flugzeug	**butterfly**	batterflei	Schmetterling
and	änd	und	**button**	batten	Knopf
animals	änimäls	Tiere			
apple	äppl	Apfel	**cake**	kejk	Kuchen
April	äjprill	April	**call-box**	kol-box	Telefonzelle
Arctic Ocean	arktik oujschen	Nordpolarmeer	**camel**	kämmel	Kamel
arm	ahrm	Arm	**camera**	kämmera	Fotoapparat
armchair	ahrmtschär	Sessel	**Cameroon**	kämerun	Kamerun
arrow	ärro	Pfeil	**Canada**	käneda	Kanada
art	art	Zeichnen	**candles**	kändels	Kerzen
Asia	äjscha	Asien	**cardboard**	kardbord	Pappe
astronaut	ästronot	Raumfahrer	**carpet**	karpit	Teppich
Atlantic Ocean	ätläntik oujschen	Atlantischer Ozean	**carrots**	kärrots	Möhren
			cat	kätt	Katze
August	ougust	August	**catwalk**	kättwohk	Laufsteg
Australia	oustrejlia	Australien	**chair**	tschär	Stuhl
autumn	outem	Herbst	**chalk**	tschook	Kreide
			cheese	tschiess	Käse
backpack	bäkpäk	Rucksack	**cello**	tschello	Cello
Bahamas	bahamas	Bahamas	**cherries**	tscherries	Kirschen
baking powder	bejking pauder	Backpulver	**chicken**	tschicken	Küken
ball	bohl	Ball	**child**	tscheild	Kind
banana	benana	Banane	**chimney**	tschimnej	Kamin
beach	bietsch	Strand	**city map**	ßiti mäpp	Stadtplan
beach chair	bietsch tschär	Strandkorb	**clip**	clip	Büroklammer
bear	bär	Bär	**clouds**	klauds	Wolken
bee	bie	Biene	**clover**	klouver	Klee
bees	bies	Bienen	**coat**	kout	Mantel
Belize	belies	Belize	**cocoa**	kkou	Kakaopulver
Bermuda	börmjuda	Bermudainseln	**cold**	kold	kalt
big	big	groß	**colour**	kalr	Farbe
black board	bläck bohrd	Tafel	**coloured**	kalrd	bunt
black	bläck	schwarz	**colour palette**	kalr pället	Farbpalette
blouse	blaus	Bluse	**compasses**	kompässes	Zirkel
blue	blu	blau	**computer**	kompjuter	Computer
boat	bout	Boot	**cord**	kord	Schnur/ Strick
books	bukks	Bücher	**cork**	kork	Korken
Botswana	botswana	Botswana	**correspondent**	korrespondent	Korrespondent
branch	braansch	Ast	**cow**	kau	Kuh
bread	bredd	Brot	**crab**	kräb	Krebs
break	brejk	Pause	**crater**	krejter	Krater
breakfast	brekfäst	Frühstück	**crown**	kraun	Krone
brown	braun	braun	**cucumber**	kjukamber	Gurke
brush	brasch	Pinsel	**December**	disember	Dezember

Vokabeln

deer	dier	Reh	flowerpots	flauerpots	Blumentöpfe
desk	desk	Schreibtisch	flowers	flauers	Blumen
dinner	dinner	Abendessen	flute	fluute	Flöte
doesn't have	dasnt häv	nicht haben	fly	flei	Fliege
dog	dogg	Hund	forest	forest	Wald
donkey	danki	Esel	fountain-pen	fauntn penn	Füller
dragon-fly	dreggen flei	Libelle	four	for	vier
dress	dress	Kleid	fourteen	fortien	vierzehn
drill	drill	Bohrer	fourty	fortie	vierzig
drum	dramm	Trommel	fox	fox	Fuchs
duck	dack	Ente	France	fraanz	Frankreich
dune	djuhn	Düne	fresh	fresch	frisch
dungfork	dangfork	Mistgabel	Friday	freidäj	Freitag
			frog	frogg	Frosch
ear	ier	Ohr	funny	fannie	spaßig
earth	örs	Erde			
eat	iet	essen	Gambia	gämbia	Gambia
eggs	eggs	Eier	garden	garden	Garten
eight	äjt	acht	gardener	gardener	Gärtner
eighteen	äjtien	achtzehn	geography	dschiogrefi	Erdkunde
eighty	äjtie	achtzig	german	dschörmen	Deutsch
elephant	äläfänt	Elefant	get up	get app	aufstehen
eleven	ilewen	elf	Ghana	ghäna	Ghana
end of school	end of skuul	Schulschluss	go to	go tu	gehen zu
England	inglend	England	going to cinema	going tu sinema	ins Kino gehen
English	inglisch tschennel	Englischer	good morning	gudd moning	guten Morgen
Channel		Kanal	good night	gudd nait	gute Nacht
english	inglisch	Englisch	goodbye	gudd bei	auf Wiedersehen
error	error	Störung	grandfather	grändfaser	Opa
Europe	jurop	Europa	grandmother	grändmasser	Oma
exercise book	äckserseis buck	Heft	grapes	gräjps	Weintrauben
eyes	eis	Augen	Greece	grieß	Griechenland
			green	green	grün
family	fämmelli	Familie	grey	gräj	grau
farm	farm	Bauernhof	Guyana	gujana	Guyana
farmer	farmer	Bauer			
father	fahser	Vater	hair	här	Haare
February	febbruäri	Februar	half past	haaf paast	halb nach
feet	fiet	Füße	hammer	hämma	Hammer
field	field	Feld	hamster	hämsta	Hamster
fifteen	fiftien	fünfzehn	handbag	händbäg	Handtasche
fifty	fiftie	fünfzig	hands	händs	Hände
fireman	feiermänn	Feuerwehrmann	happy	häppi	glücklich/ fröhlich
fish	fisch	Fisch/ Fische	have	häv	haben
five	feif	fünf	head	häd	Kopf
flamingo	flämingo	Flamingo	hearts	harts	Herzen
flour	flaur	Mehl	hedgehog	hädschhogg	Igel
flower	flauer	Blume	hello	hällou	hallo

Vokabeln

hi	hai	hallo	**letter-box**	letter-box	Briefkasten
high-heels	hai-hiels	Stöckelschuhe	**Liberia**	liberia	Liberia
hill	hill	Hügel	**lightning**	leitning	Blitz
hippo	hippo	Nilpferd	**like**	leik	mögen
honey	hanni	Honig	**lion**	leien	Löwe
horse	horß	Pferd	**lollipop**	lollipop	Lutscher/ Lolli
hot	hott	heiß	**lovely**	lavlie	wunderschön
How are you?	Hau ar ju?	Wie geht es dir?	**lunch**	lantsch	Mittagessen
hundred	handred	hundert			
			make	mäjk	machen
I am from	Ei äm fromm	Ich komme aus	**Malawi**	mälawie	Malawi
I am not so well	Ei äm not	Mir geht's	**Malaysia**	mäleischa	Malaysia
	sou well	nicht gut.	**man**	män	Mann
I am well	Ei äm well	Mir geht es gut	**March**	martsch	März
ice	aiß	Eis	**mathematics**	mässemätiks	Mathe
icy	aißie	vereist	**Mauritius**	mourisches	Mauritius
in the	in se supermarket	im	**May**	mäj	Mai
supermarket		Supermarkt	**meadow**	mäddo	Wiese
India	indja	Indien	**melon**	mällen	Melone
Indian Ocean	indjen oujschen	Indischer	**metal clip**	mättel klipp	Metallklammer
		Ozean	**microphone**	meikrofohn	Mikrofon
interpreter	intapräter	Dolmetscher	**milk**	milk	Milch
Ireland	eirländ	Irland	**model**	modell	Modell
Irish Republic	eirisch ripablik	Republik Irland	**Monday**	manndäj	Montag
Irish Sea	eirisch ße	Irische See	**monkey**	manki	Affe
Italy	itteli	Italien	**mother**	masser	Mutter
			mountains	mauntens	Berge
Jamaica	dschemäjka	Jamaika	**mouse**	maus	Maus
January	dschenjuäri	Januar	**mouth**	mauss	Mund
jeans	dschiens	Jeans	**my**	mei	mein
jellyfish	dschelliefisch	Qualle			
jewels	dschuels	Juwelen	**nail**	näjl	Nagel
July	dschulei	Juli	**Namibia**	nämibia	Namibia
June	dschuhn	Juni	**native language**	näitif längwitsch	Muttersprache
			nature	näjtscher	Natur
Kenya	känia	Kenia	**neck**	neck	Hals
king	king	König	**necklace**	neckless	Kette
kitchen	kitschen	Küche	**Netherlands**	nässerlands	Holland
kiwi	kiwi	Kiwi	**New Zealand**	nju sielend	Neuseeland
knife	neif	Messer	**newspaper**	njuuspäjper	Zeitung
			Nigeria	nigeria	Nigeria
language	lenguitsch	Sprache	**nine**	nein	neun
leafs	liefs	Blätter	**nineteen**	neintien	neunzehn
left-hand-traffic	left-händ-träffik	Linksverkehr	**ninety**	neintie	neunzig
legs	leggs	Beine	**no**	nou	nein
lemon	lemmen	Zitrone	**North Ireland**	nors eirländ	Nordirland
lemonade	lemmenäjd	Limonade	**North Sea**	nors ße	Nordsee
lesson	lessn	Unterrichtsstunde	**North-America**	nors ämerrica	Nord-Amerika

nose	nous	Nase	public	pablik bildings	öffentliche
November	nowember	November	buildings		Gebäude
			pullover	pullower	Pullover
o'clock	ou klock	Uhr	pupil	pjupil	Schüler
ocean	oujschen	Meer	purple	pörpl	lila
October	oktober	Oktober			
old town	ould taun	Altstadt	Queen	kwien	Königin
one	uan	eins			
onion	onjen	Zwiebel	rabbit	räbbit	Hase
orange	orendsch	orange	radio	räidiou	Radio
ostrich	ostridsch	Strauß	railway-lines	räilwäi-leins	Bahnlinien
owl	oul	Eule	rain	räin	Regen
			rainbow	räinbou	Regenbogen
Pacific Ocean	pessifik oujschen	Pazifischer	rainy	räinie	verregnet
		Ozean	rat	rätt	Ratte
paint-box	pejntboks	Farbkasten	recipe	rässepie	Rezept
paintbrush	pejntbrasch	Pinsel	red	räd	rot
Pakistan	päkisten	Pakistan	reed	ried	Schilf
paper	pejper	Papier	religion	rilidschn	Religion
Papua New	päpua nju ginea	Papua	river	riwwer	Fluss
Guinea		Neuguinea	rocket	rockett	Rakete
parks	parks	Parks	rolls	roulls	Brötchen
past	past	nach	rooster	ruuster	Hahn
pear	pär	Birne	Royal flag	reuel flegg	königliche Flagge
pearls	pörls	Perlen	ruler	ruuler	Lineal
pelican	peliken	Pelikan			
pencil	penssill	Stift/ Bleistift	salt	solt	Salz
pencil case	penssill käjß	Federmappe	sandals	sendels	Sandalen
penguin	penguin	Pinguin	Saturday	setterdäj	Sonnabend
pens	penns	Stifte	sausage	sossitsch	Wurst
pets	petts	Haustiere	saw	sou	Säge
Philippines	fillipiens	Philippinen	scarf	skaaf	Schal
phone	foun	Telefon	school badges	skuul bädsches	Schulabzeichen
piano	piäno	Klavier	school bag	skuul bäg	Schultasche
pig	pig	Schwein	school yard	skuul jard	Schulhof
pigeon	pidschen	Taube	scissors	sissas	Schere
pillow	pillou	Kissen	Scottland	skottländ	Schottland
pilot	peilet	Pilot	sea gull	siegall	Möve
pineapple	peinäppel	Ananas	seats	siets	Sitze
pink	pink	rosa	seaweed	siewied	Algen
planet	plännett	Planet	second	säkend	erste
plum	plamm	Pflaume	language	längwitsch	Fremdsprache
policeman	poließmän	Polizist	September	september	September
politics	pollitiks	Politik	seven	sewen	sieben
pool	puul	Teich	seventeen	sewentien	siebzehn
potatoes	pätejtous	Kartoffeln	seventy	sewentie	siebzig
present	prässent	Geschenk	Seychelles	säschells	Seychellen

Vokabeln

shark	schark	Hai	sweets	swiets	Süßigkeiten
sharpener	scharpener	Spitzer	swim	swimm	schwimmen
sheep	schiep	Schaf	Switzerland	swisserländ	Schweiz
shell	schell	Muschel			
shells	schells	Muscheln	table	tejbel	Tisch
sheep	schiep	Schaf/Schafe	Tanzania	tänssania	Tanzania
shirt	schört	Hemd	teaspoon	tiespuhn	Teelöffel
shoes	schuus	Halbschuhe	tea time	tieteim	Kaffeetrinken
shopping list	schopping list	Einkaufszettel	teacher	tietscher	Lehrer
Sierra Leone	sjerra lion	Sierra Leone	television	telewischn	Fernseher
sit down	sit daun	hinsetzen	temperature	tempretschä	Temeratur
six	sicks	sechs	ten	tenn	zehn
sixteen	sickstien	sechzehn	tent	tent	Zelt
sixty	sickstie	sechzig	thanks	sänks	danke
skirt	skört	Rock	thirteen	sörtien	dreizehn
sky	skei	Himmel	thirty	sörtie	dreißig
snake	snäjk	Schlange	three	srie	drei
snails	snäils	Schnecken	Thursday	sörsdäj	Donnerstag
sneakers	sniekers	Turnschuhe	tie	tei	Krawatte
snow	snou	Schnee	timetable	teimtejbel	Stundenplan
snow-covered	snou kawerd	verschneit	tin	tinn	Blechdose
soccer	ßocker	Fußball	tins	tinns	Blechosen
socks	ßocks	Söckchen	to dance	tu däns	tanzen
sofa	soufa	Sofa	to dive	tu deiv	Tauchen
song	ßong	Lied	to fly with the	tu flei wiss	mit dem Flugzeug
South Africa	ßaus äfrika	Südafrika	airplane	se ärpläin	fliegen
South-America	ßaus ämärrica	Südamerika	to get the	tu get se	den Einkaufszettel
Spain	späjn	Spanien	shopping list	schopping list	bekommen
specialist	späschelist	Fachmann	to go to the	tu go tu se	zum Supermarkt
spider	speider	Spinne	supermarket	sjupermarket	gehen
sport	sport	Sport	to meet friends	tu miet frends	Freunde treffen
spotlight	spotleit	Scheinwerfer	to pack the	tu peck se	den Koffer packen
spring	spring	Frühling	suitcase	sjuutkäjs	
squirrel	skwirrel	Eichhörnchen	to paint	to pejnt	zeichnen
Sri Lanka	sri länka	Sri Lanka	to play	to plej bädmintn	Federball
stamp	stämp	Briefmarke	badminton		spielen
stand up	ständ app	aufstehen	to play soccer	tu plej ßocker	Fußball spielen
star	star	Stern	to play	tu plej	spielen
stewardess	stjuardess	Flugbegleiterin	to read	tu ried	lesen
strawberry	strouberri	Erdbeere	to sing	tu sing	singen
streamer	striemer	Luftschlange	to skate	tu skejt	Inlineskating
streets	striets	Straßen	to sleep	tu sliep	schlafen
sugar	schuggar	Zucker	to talk	tu tork	reden
summer	sammer	Sommer	to travel by	tu träwel bei	mit der Bahn
sun	sann	Sonne	train	trejn	reisen
Sunday	sanndäj	Sonntag	to travel by bus	tu träwel bei bass	mit dem
sunny	sanni	sonnig			Bus reisen
sunshade	sannscheijd	Sonnenschirm			

English	Pronunciation	German
to arrive in the hotel	tu ärreif in se hotel	im Hotel ankommen
to play on the beach	tu plej on se bietsch	am Strand spielen
to write postcards	tu reit postkards	Postkarten schreiben
tomatoe	tomejto	Tomate
ton	tonn	Tonne
tortoise	törtsches	Schildkröte
traffic instruction	treffik instraktschn	Verkehrs-erziehung
tray	trej	Tablett
trees	tries	Bäume
trick or treat	trick or triet	Streich oder Schmaus
trousers	trausers	Hose
trumpet	trampit	Trompete
T-shirt	ti-schört	T-Shirt
tuba	tjuba	Tuba
Tuesday	tjusdäj	Dienstag
tummy	tammi	Bauch
Turkey	törki	Türkei
turtle	törtl	Wasserschildkröte
twelve	twelw	zwölf
twenty	twenti	zwanzig
two	tu	zwei
Uganda	jugända	Uganda
United Kingdom	junaitid kingdemm	Großbritannien
United States of America	junaitidt stejts of amärrika	Vereinigte Staaten von Amerika
universe	juniwörs	Weltall
valley	welli	Tal
village	willitsch	Dorf
violin	weiolien	Geige

English	Pronunciation	German
Wales	wäjls	Wales
wardrobe	wordroub	Schrank
washing machine	wosching meschiehn	Waschmaschine
watercolour	wotercaller	Wasserfarbe
water-lily	woterlilli	Seerose
waters	woters	Gewässer
waves	wejvs	Wellen
weather	wässer	Wetter
Wednesday	ouendsdäj	Mittwoch
whale	wäjl	Wal
which	witsch	welche
white	weit	weiß
wind	wind	Wind
window	windou	Fenster
windy	windie	windig
winter	winter	Winter
wolf	wulf	Wolf
work instruction	wörk instraktschn	Werken
yellow	jellou	gelb
yes	jäss	ja
you	ju	du
Zambia	sämbia	Sambia
Zimbabwe	simbabwe	Simbabwe

Lösungen

Seite 9

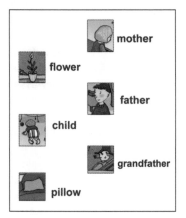

Seite 18

Seite 19

Seite 22

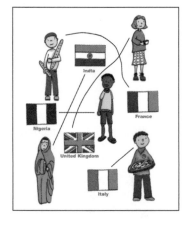

Seite 26

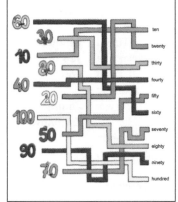

Seite 27

Seite 29

Seite 30

Seite 31

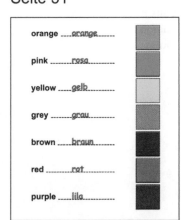

Seite 33

Seite 34

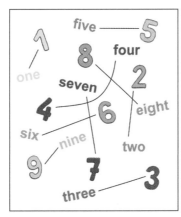

Seite 37

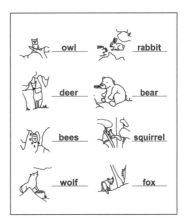

Seite 39

Seite 43

Seite 52

Seite 53

Seite 55

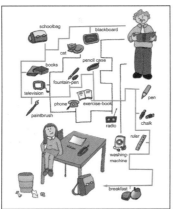

Seite 57

Lösungen

Seite 70

Seite 74

Seite 82

Seite 85

Seite 86/87

Seite 88

Seite 92

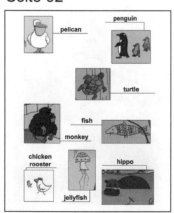